« Assumer le plus possible d'humanité,
voilà la bonne formule. »

ANDRÉ GIDE

J'avais été en classe ce matin là ;
que s'était-il passé. je n'en ai pas gardé
rien peut être ; alors pourquoi
tout à coup me désarmposai-je et tremblant
dans les bras de maman, convulsé, sanglotant, sentis-je
de nouveau cette angoisse indéfinissable,
la même exactement comme à la mort du petit enfant.
Il me semble que brusquement s'ouvrait
l'ecluse particulière je ne sais quelle intérieure
inconnue commune dont le flot s'engouffrait démesurément
dans mon cœur ; j'étais plus tôt plus oppressant
mais comment l'expliquer cela à ma mère,
qui ne distinguait, à travers mes
sanglots que ces curieuses paroles
que je répétais avec désespoir : Je ne suis pas comme les
autres ; je ne suis pas comme les autres.

la troisième fois le schandarm,
accompagné de sanglots, me secoua, ma
ce fut un peu plus tard et j'en réserve le

Je ne suis pas pareil aux autres ! (Si le grain ne meurt, V)

CLAUDE MARTIN

ANDRÉ GIDE
par lui-même

"ÉCRIVAINS DE TOUJOURS"

aux éditions du seuil

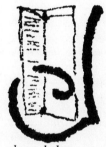e naquis le 22 novembre 1869. Mes parents occupaient alors, rue de Médicis, un appartement au quatrième ou cinquième étage, qu'ils quittèrent quelques années plus tard, et dont je n'ai pas gardé souvenir. Je revois pourtant le balcon ; la place à vol d'oiseau et le jet d'eau de son bassin – ou, plus précisément encore, je revois les dragons de papier, découpés par mon père, que nous lancions du haut de ce balcon, et qu'emportait le vent, par-dessus le bassin de la place, jusqu'au jardin du Luxembourg où les hautes branches des marronniers les accrochaient.

Je revois aussi une assez grande table, celle de la salle à manger sans doute, recouverte d'un tapis bas tombant ; au-dessous de quoi je me glissais avec le fils de la concierge, un bambin de mon âge qui venait parfois me retrouver.

— Qu'est-ce que vous fabriquez là-dessous ? criait ma bonne.
— Rien. Nous jouons.

Et l'on agitait bruyamment quelques jouets qu'on avait emportés pour la frime. En vérité nous nous amusions autrement : l'un près de l'autre, mais non l'un avec l'autre pourtant, nous avions ce que j'ai su plus tard qu'on appelait « de mauvaises habitudes ».

ir maladif et méchant, le regard biais...

Cynisme ou courage ? Que cherche ce début de « confessions » ?...

Qui de nous deux en avait instruit l'autre ? et de qui le premier les tenait-il ? Je ne sais. Il faut bien admettre qu'un enfant parfois à nouveau les invente. Pour moi je ne puis dire si quelqu'un m'enseigna ou comment je découvris le plaisir ; mais, aussi loin que ma mémoire remonte en arrière, il est là.

Je sais de reste le tort que je me fais en racontant ceci et ce qui va suivre ; je pressens le parti qu'on en pourra tirer contre moi. Mais mon récit n'a raison d'être que véridique. Mettons que c'est par pénitence que je l'écris.

A cet âge innocent où l'on voudrait que toute l'âme ne soit que transparence, tendresse et pureté, je ne revois en moi qu'ombre, laideur, sournoiserie.

Mais voici plus « bizarre » :

Cela se passait à Uzès où nous allions une fois par an revoir la mère de mon père et quelques autres parents : les cousins de Flaux entre autres, qui possédaient, au cœur de la ville, une vieille maison avec jardin. Cela se passait dans cette maison des de Flaux. Ma cousine était très belle et le savait. Ses cheveux très noirs, qu'elle portait en bandeaux, faisaient valoir un profil de camée (j'ai revu sa photographie) et une peau éblouissante. De l'éclat de cette peau, je me souviens très bien ; je m'en souviens d'autant mieux que, ce jour où je lui fus présenté, elle portait une robe largement échancrée.

— Va vite embrasser ta cousine, me dit ma mère lorsque j'entrai dans le salon. (Je ne devais avoir guère plus de quatre ans ; cinq peut-être.) Je m'avançai. La cousine de Flaux m'attira contre elle en se baissant, ce qui découvrit son épaule. Devant l'éclat de cette chair, je ne sais quel vertige me prit : au lieu de poser mes lèvres sur la joue qu'elle me tendait, fasciné par l'épaule éblouissante, j'y allais d'un grand coup de dents. La cousine fit un cri de douleur ; j'en fis un d'horreur ; puis je crachai, plein de dégoût. On m'emmena bien vite, et je crois qu'on était si stupéfait qu'on oublia de me punir.

Une photographie de ce temps, que je retrouve, me représente, blotti dans les jupes de ma mère, affublé d'une ridicule petite robe à carreaux, l'air maladif et méchant, le regard biais.

Cette photographie a été conservée – et à vrai dire, considérons-la, elle n'infirme guère l'interprétation que nous en donne l'intéressé. Tel, enfant, se revoyait l'André Gide de la cinquantaine, composant ses Mémoires ; tel aussi il voulait que son lecteur le revît, car l'effet provocant de ces deux pages qui ouvrent *Si le grain ne meurt* (« comme une crotte sur un paillasson », écrivit Paul Souday dans un compte rendu retentissant) n'est point tempéré par la suite du livre, où se parfait un assez sombre tableau de son enfance. Plus exactement, c'est la coloration du souvenir que garde Gide de ses premières années qui est assurément péjorative : parlant, à plusieurs reprises, de *l'enfant obtus* qu'il était, lassé de décrire *l'épaisse nuit où (sa) puérilité s'attardait*, il soupire : *J'ai hâte de sortir enfin des ténèbres de mon enfance...* Cette impression si défavorable ne saurait d'ailleurs passer pour un ressouvenir altéré du quinquagénaire ; dès longtemps il jugeait de même, et on lit dans le *Journal* de sa vingt-deuxième année : *Il faut que j'ose franchement le reconnaître : c'est mon enfance solitaire et rechignée qui m'a fait ce que je suis.* De là vient l'image communément reçue, peinte par Gide lui-même mais dont le plus souvent la critique littéraire s'est saisie sans réserves pour « expliquer » l'homme et l'écrivain : André Gide – déjà un enfant « anormal ».

Or, que ce début où se pressent comme par défi onanisme, méchanceté et agressivité, que ces aveux nombreux de *Si le grain ne meurt* aient une importance extrême pour l'intelligence de l'homme Gide et de son œuvre, c'est sûr. Encore faut-il contrôler ces impressions, à l'aide du récit de l'autobiographe lui-même. L'étrange est en effet qu'à lire ce récit honnête, l'enfance de Gide ne nous paraît rien moins que *solitaire et rechignée ;* nous connaissons un Gide joueur, curieux, impulsif, enthousiaste dans ses divertissements, enivré de lumière et de bonheur dans ses vacances normandes ou cévenoles – un enfant « normal » en somme, pour autant qu'une personnalité accusée n'excède par les normes... Les circonstances, c'est-à-dire le milieu et l'éducation, ont seules donné à quantité de traits banals un tour particulier, une allure dramatique : Gide n'est pas né Gide, il l'est devenu.

ANDRÉ GIDE

Riche et protestant

Les parents d'André Gide avaient quitté la rue de Médicis en 1874 pour le logis plus vaste et plus luxueux qu'exigeait leur situation sociale. *Notre nouvel appartement, 2 rue de Tournon, au second étage, formait angle avec la rue Saint-Sulpice, sur quoi donnaient les fenêtres de la bibliothèque de mon père :* demeure cossue de la famille bourgeoise et fortunée qu'était celle d'André Gide... Né riche, Gide ne connut en effet jamais d'autre souci d'ordre financier que celui de l'administration d'une fortune assez considérable. Un de ses amis, le romancier Charles-Louis Philippe, dit un jour ironiquement (Gide rapporte le mot dans son Journal de 1908), parlant du richissime héritier des sources thermales de Vichy, Valery Larbaud : *Ça fait toujours plaisir de rencontrer quelqu'un auprès de qui Gide paraît pauvre...*

Il n'est pas indifférent de noter cette richesse d'André Gide. Si sensible qu'il fût à *l'exotisme de la misère,* si grande que fût sa sympathie pour les déshérités de ce monde, Gide, bourgeois fortuné, ne devait qu'assister en témoin, sinon en dilettante, aux grandes luttes sociales de son siècle ; et peut-être est-ce la raison majeure pour laquelle l'*engagement* qu'il tenta, la soixantaine passée, ne fut pour lui qu'un *grand trébuchoir.*

La famille de Gide était riche ; elle était protestante... Comme Mauriac parmi les prêtres girondins, Gide a grandi entouré de ministres de la religion réformée. Le mariage de ses parents avait été l'œuvre du pasteur Roberty ; le pasteur Allégret fut longtemps le familier du château de La Roque-Baignard, séjour estival de la famille ; André Gide lui-même ne s'est-il pas représenté, enfant, comme *un petit garçon qui s'amuse, doublé d'un pasteur protestant qui l'ennuie ?...* De ses deux familles, maternelle et paternelle, celle-ci était sans nul doute celle dont le protestantisme était le plus invétéré et Gide gardait un très vif souvenir, à en juger par *Si le grain ne meurt,* du mégathérium d'Uzès, où il avait pu *voir encore les derniers représentants de cette génération de tutoyeurs de Dieu assister au culte avec leur grand chapeau de feutre sur la tête*

8

(...), *en souvenir des cultes de plein air et sous un ciel torride,*
dans les replis secrets des garrigues, du temps que le service de
Dieu selon leur foi présentait, s'il était surpris, un inconvénient
capital ; mais il semble bien n'avoir conservé que des images,
à l'austérité et à la rudesse pittoresques, de son contact avec
l'antique foyer huguenot d'Uzès. Tout autre fut la marque
imprimée en lui par le protestantisme de sa mère.

Aux fins de parfaire l'opposition entre ses deux ascen-
dances, Gide a insisté dans ses Mémoires sur la tradition catholique de la famille Rondeaux. En fait, cette tradition, réelle,
avait pris fin un siècle avant sa naissance ; son arrière-grand-
père Charles Rondeaux (dit « de Montbray »), maire de Rouen
en 1792 et franc-maçon, et son grand-père Édouard Rondeaux,
l'industriel, fort indifférent en matière de religion, avaient
tous deux épousé de ferventes et rigoureuses protestantes,
et c'est dans la foi et les mœurs calvinistes les plus strictes
que furent élevés fort pieusement les cinq enfants d'Édouard
Rondeaux, parmi lesquels Juliette, la mère de l'écrivain.
Protestante, la famille maternelle de Gide l'était donc beaucoup plus qu'elle n'avait jadis été catholique.

On retrouvait dans la religion de Juliette Rondeaux les
traits fondamentaux du protestantisme, durcis peut-être
par un souci fort bourgeois de conformisme social et moral.
Le climat de la rue de Médicis, puis de la rue de Tournon,
celui de La Roque ou de Cuverville était austère et *raison-*
nable ; sensible à l'autorité des règles reçues, fidèle à la lettre
de la loi, et plutôt en ce qu'elle comporte de devoirs et d'interdits, très craintive dans l'exercice du libre examen pourtant
traditionnel dans la Réforme, Mme Paul Gide gouvernait
sa maison en maîtresse fort consciente de ses responsabilités.
Son fils y reçut une éducation tout imprégnée de ce légalisme
moral. *Je me souviens fort bien,* dit-il dans *Si le grain ne meurt,*
qu'alors ma mère comparait l'enfant que j'étais au peuple hébreu
et protestait qu'avant de vivre dans la grâce il était bon d'avoir
vécu sous la loi. Aussi Gide connut-il surtout de la religion
ses aspects contraignants et, ce qui est assez paradoxal s'agissant du protestantisme, le principe de soumission à l'autorité.
A l'intérieur même de ce dogmatisme moral, la puritaine

Mme Paul Gide donnait naturellement le pas à la pureté de la vie sexuelle, entendue au sens le plus étroit, et l'on verra du reste quel rôle considérable joua, dans la formation d'André Gide, cette conception protestante de la moralité où les choses de la chair sont le domaine du Péché par excellence.

En butte à deux conformismes, celui de la richesse bourgeoise et celui du puritanisme, l'individu Gide trouvait peut-être en lui *cette vertu huguenote de résistance* qu'il aima chez sa cousine Madeleine. En fait, si d'un côté il eut moins à souffrir d'un certain isolement social qu'à se féliciter d'une liberté que la fortune lui assurait, le climat protestant de ses enfances est à l'origine de conflits, ouverts ou latents, conscients ou refoulés, qui décidèrent de sa psychologie. Et toujours, au cœur de ces luttes, l'image de la mère...

M. et Mme Paul Gide

L'image de la mère, non celle du père. Gide, pourtant, dans les premiers chapitres de *Si le grain ne meurt*, a voulu les rendre tous deux présents, en deux portraits soigneusement contrastés.

Sans une photographie, où il le revoyait *avec une barbe carrée, des cheveux noirs assez longs et bouclés*, Gide avouait qu'il n'aurait pas gardé le souvenir du visage de son père. Cet homme éminent, admiré et respecté dans l'Université, avait sans nul doute remis ses pouvoirs domestiques à sa femme ; chez lui, il était peu visible. *Il passait la plus grande partie du jour, enfermé dans un vaste cabinet de travail un peu sombre, où je n'avais accès que lorsqu'il m'invitait à y venir. (...) J'y entrais comme dans un temple ; dans la pénombre se dressait le tabernacle de la bibliothèque ; un épais tapis aux tons riches et sombres étouffait le bruit de mes pas. Il y avait un lutrin près d'une des deux fenêtres ; au milieu de la pièce, une énorme table couverte de livres et de papiers.* De l'austère et studieux juriste, son fils retint surtout l'extrême douceur ; point d'effusions entre eux, mais une sorte de complicité, d'homme à homme ; dans les promenades qu'ils faisaient ensemble, dans

La mère   *Le père*

les entretiens que Paul Gide accordait à son *petit ami*, les
lectures qu'il lui faisait (l'*Odyssée*, les *Mille et Une Nuits*,
Molière, le *Livre de Job* aussi...), les jeux auxquels il se
plaisait avec lui, le père semble avoir su faire naître une impression de douceur étrange et onirique. Les quelques vignettes
qu'André Gide anime en les tirant de sa mémoire pour *Si le
grain ne meurt* ont cet *aspect insolite, grave et quelque peu mystérieux* qui *enchantait* son enfance, lorsqu'au retour d'une
promenade dans le quartier du Luxembourg, le soir, il
s'endormait *ivre d'ombre, de sommeil et d'étrangeté...* Ce sens du
mystère, d'une *seconde réalité* qui double et comme épaissit
la vie ordinaire, était sans doute inné chez l'enfant, à en juger
par l'importance qu'il revêtit plus tard ; il fut à tout le moins
favorisé dans son développement par le caractère des relations
du père avec son fils. Homme admirable à l'égard de la
bonté, de l'intelligence, de la noblesse morale et de la culture,

11

le professeur Paul Gide avait d'ailleurs sur l'éducation *des idées très particulières, nous dit son fils, que n'avait pas épousées ma mère ; et souvent je les entendais tous deux discuter sur la nourriture qu'il convient de donner au cerveau d'un petit enfant. De semblables discussions étaient soulevées parfois au sujet de l'obéissance, ma mère restant d'avis que l'enfant doit se soumettre sans chercher à comprendre, mon père gardant toujours une tendance à tout m'expliquer.* André Gide aima ce père tendre et discret, qu'il perdit à la veille de sa douzième année, mais d'une affection pour ainsi dire lointaine et adoucie, comme en un rêve...

Le rêve n'était pas, on le devine, ce qui plaisait à la réaliste Mme Paul Gide, que son fils peignit à plaisir comme la vivante antithèse de son mari ; le docteur Delay résume fort bien l'impression qu'on retire des deux portraits de *Si le grain ne meurt : A l'un le charme, la gaieté, la tolérance, la culture intellectuelle, à l'autre une gravité un peu lourde, l'austérité, le culte de la morale.*

Tout était rangé, classé, ordonné chez Mme Gide, qui possédait à leur plus haut degré les vertus de l'économie domestique. Elle apportait à tout ce même souci de rigueur et de propreté qui la faisait recouvrir tous les meubles de son salon de *housses de percale blanche, striées de minces raies rouge vif,* qu'on n'ôtait que pour son jour de réception, le mercredi. Elle entendait que la vie des siens, leur horaire, leurs dépenses fussent réglés et à l'abri de tout imprévu. Mais peut-être cette raideur ne lui était-elle point naturelle ; son fils y voyait même une contrainte constante de son caractère, un masque, la carapace d'un être se défiant de soi : *Tout ce qui était naturel chez ma mère,* écrit-il dans les quelques pages de 1942 intitulées *Ma mère* et qui furent recueillies plus tard dans les *Feuillets d'automne, je l'aimais. Mais il arrivait que ses élans fussent arrêtés par des conventions et le pli que laisse trop souvent l'éducation bourgeoise. (...) Surtout elle demeurait trop craintive et peu sûre d'elle... Elle restait soucieuse des autres et de leurs jugements ; toujours désireuse du mieux, mais d'un mieux répondant à des règles admises ; toujours s'efforçant vers ce mieux, et sans même se*

*douter (et trop modeste pour reconnaître) que le meilleur
en elle était précisément ce qu'elle obtenait avec le moins d'effort.
Trop craintive et peu sûre d'elle :* là était sans doute la clef
du caractère de cette femme, dominée par la peur du faux-
pas et qui préférait s'en remettre en tout aux traditions
et aux règles admises. Au piano, elle n'osait guère jouer
qu'à quatre mains et se refusait à un jeu trop expressif
et trop personnel, comptant la mesure à haute voix d'un bout
à l'autre du morceau ; en matière de lectures, elle se bornait
aux plus classiques, et aux critiques plutôt qu'aux œuvres
elles-mêmes, à la prose plutôt qu'aux vers ; visitant les
expositions de peinture, *ce n'était jamais sans emporter le
numéro du journal qui en parlait, ni sans relire sur place les
appréciations du critique, par grand'peur d'admirer de travers,
ou de n'admirer pas tout.* Partout, cette peur du spontané, cette
recherche de la contrainte qui était pour la mère d'André Gide
comme une garantie de la valeur morale de tous ses actes...

En *personne de bonne volonté qu'elle était (je prends ce mot
dans le sens le plus évangélique)... toujours s'efforçant vers quelque bien, vers quelque mieux,* son amour maternel était naturellement empreint de cette conscience aiguë et étroite de ses
responsabilités, de ses devoirs ; sans faire prisonnier son fils
de l'affection possessive d'une Génitrix, elle avait pour lui
une *inquiète sollicitude* qui le devait bientôt excéder. Attentive
aux moindres détails de l'emploi de son temps, de son hygiène,
de son habillement, de son budget, elle le poursuivit de ses
conseils jusqu'à l'année même de sa mort, en 1895, où André
Gide, âgé de vingt-cinq ans, se trouvant alors en Algérie,
laissa éclater sa révolte dans sa correspondance avec elle. On a
déjà évoqué la rigueur puritaine de ses principes d'éducation
qui, en deux malheureuses occasions, décidèrent de la vie
sexuelle de son fils ; il y faut ajouter les mille et une récrimi-
nations et admonestations qui emplissaient ses lettres, les
innocents plaisirs enfantins (celui du déguisement, par exemple) dont, par économie, elle privait son fils, la garde-robe
qu'elle lui choisissait *(j'étais extrêmement sensible à l'habit,
et souffrais beaucoup d'être toujours hideusement fagoté)...*
Il dut attendre sa vingtième année pour faire, non accom-

pagné, un voyage : sa première victoire fut alors de faire accepter la Bretagne, alors que Mme Paul Gide voulait qu'il allât en Suisse ; *ma mère finit par céder ; mais au moins voulait-elle me suivre. Il fut convenu que nous nous retrouverions de loin en loin, tous les deux ou trois jours...* Plus peut-être que les souvenirs de *Si le grain ne meurt*, est significative la lettre qu'il écrivit de Biskra à sa mère le 15 mars 1895 ; nous y discernons et l'humeur de ce moment de crise, et le sens profond que comportait pour lui cette révolte :

Tes conseils me sont insupportables, en ceci qu'ils ne cherchent pas tant à éclairer les sentiers qu'à modifier la conduite, et cela me fait penser parfois que tu comprends la Vie d'une façon si différente de la mienne qu'il est presque inutile que j'écoute ces conseils, autrement que par déférence, tant je sais bien d'avance que tu n'auras pas, avant de te les formuler, tenu compte de la chose la plus importante : les raisons ou les passions qui nous font décider nos actes.

Une vie n'est pas nécessairement plus ou moins belle suivant qu'elle est plus ou moins raisonnable. Si je m'occupais de mener une vie telle que tu me le « conseilles », elle serait en mensonge constant avec mes pensées. Rien ne m'irrite plus que ton besoin d'intervenir dans les actes d'autrui, ce qui les fait peut-être un peu plus sensés, mais leur fait perdre toute valeur puisqu'ils émanent de toi plus que de l'autre personne – leur fait perdre toute « originalité » (et je te prie de ne pas prendre ce mot autrement que dans son sens étymologique). Toutes ces questions me paraissent les plus importantes de la religion, morale ou philosophie...

Considérable et décisive, cette influence n'eut d'ailleurs pas d'effets seulement négatifs et par réaction ; le goût très gidien pour la contrainte et pour l'économie, en art, n'a-t-il pas là sa racine première ? Lui-même le pensait, les *Conseils* posthumes *au jeune écrivain* (publiés dans *la Nouvelle N.R.F.* d'août 1956) l'attestent curieusement, où il remarque : *Ma mère m'enseignait à toujours vider mon verre de cidre avant de me lever de table, et à ne prendre pas plus de pain que je ne pourrais en manger. Sans doute quelque peu de cette idée d'économie subsiste-t-elle dans cet urgent besoin que je ressens de la mesure...*

De beaucoup moindre importance et plus brève, il apparaît donc que l'influence du père, pour différente qu'elle fut, a été majorée dans *Si le grain ne meurt*, dans le dessein visible d'une antithèse séduisante ; déjà, nous avions vu Gide se complaire à opposer le protestantisme cévenol des Gide au catholicisme normand des Rondeaux, contraste tout factice – mais nous touchons ici à une des grandes idées qui lui étaient chères, concernant sa psychologie : Gide se voyait, se voulait fruit du croisement de deux races, de deux religions, de deux traditions, – fruit double et ambigu, enclin ou plutôt condamné au dialogue intérieur, aux luttes et aux divisions. Et dans une certaine mesure, il est vrai que les différences entre Paul Gide et Juliette Rondeaux amenaient de l'eau à son moulin. Mais ce n'était pas tout.

Dès la parution des *Déracinés*, en 1897, Gide eut l'occasion de combattre la thèse barrésienne de l'enracinement de chaque individu « dans sa terre et parmi ses morts » ; mais on a souvent mal compris ensuite le sens de l'apostrophe fameuse : *Né à Paris, d'un père uzétien et d'une mère normande, où voulez-vous, Monsieur Barrès, que je m'enracine ? J'ai donc pris le parti de voyager.* Voyager n'impliquait pas que Gide récusât l'existence de ses doubles racines, ni leur importance ; il n'eût pas, en ce cas, consacré tant de pages de ses Mémoires à la peinture de son milieu social et familial. Considérant ses hérédités, au sens large du terme, Gide est parti d'idées toutes semblables à celles d'un Taine ou d'un Barrès. C'est dans l'attitude que doit adopter l'individu à l'égard de ses attaches naturelles qu'il devient l'anti-barrésien, le théoricien de la révolte contre les cadres, les idées et les habitudes reçues. En fait, l'itinéraire propre de Gide est même tout autre que cette apologie du déracinement absolu qu'il fit à propos des *Déracinés*. Il s'est quant à lui dispensé de rejeter sa double hérédité en jouant de cette dualité même... S'il a tant insisté sur les différences entre les Gide et les Rondeaux, c'était pour mieux pouvoir refuser d'être un Gide ou un Rondeaux, et accepter, « instaurer » en lui un dialogue, un conflit, un déchirement générateur d'originalité. A soixante ans passés, il remarque que le 21 novembre, jour de sa naissance, est celui du passage d'un signe zodiacal à l'autre : *Notre terre sort de l'influence du Scorpion pour entrer dans celle du Sagittaire ;* et il jubile : *Est-ce ma faute à moi si votre Dieu prit si grand soin de me faire naître entre deux étoiles, fruit de deux sangs, de deux provinces et de deux confessions ?* (*Journal*, 2 décembre 1929).

« Quand on est ainsi divisé... »

Gide a complaisamment mis en relief l'ambiguïté, au sens étymologique précis du mot, de ses origines sociales et familiales ; il s'y ajoutait toutefois une complication, une division intérieure réelle, tenant à sa complexion nerveuse et qui, par une logique ordinaire, s'est alimentée et aggravée elle-même au fur et à mesure que l'enfant, puis l'adolescent, en prenait conscience.

C'était ce qu'on appelle un « nerveux faible ». D'une santé délicate qui inquiétait ses parents, il dut commencer très tôt *cette vie irrégulière et désencadrée, cette éducation rompue à laquelle (il) ne devait que trop prendre goût.* Mais ce mode de vie ne faisait qu'accroître le sentiment qu'il avait de sa faiblesse naturelle et qui l'installa précocement dans un état durable d'instabilité et d'anxiété. Sa « difficulté d'être », pour reprendre après Cocteau le mot fameux de Fontenelle, se résolvait en de véritables crises d'angoisse, qui lui étaient une *sorte de suffocation profonde, accompagnée de larmes, de sanglots : On eût dit que brusquement s'ouvrait l'écluse particulière de je ne sais quelle commune mer intérieure inconnue dont le flot s'engouffrait démesurément dans mon cœur.* Ce qu'il appelait ses « *Schauderns* » (*mot pour lequel je ne trouve aucun équivalent parfait dans notre langue,* écrivait-il encore en 1947 dans une préface à *Lamiel*), décrits dans *Si le grain ne meurt,* apparaissent d'abord comme le défoulement d'une émotivité excessive et débordante, parfois une libération d'énergie nerveuse compensatrice de la conscience diffuse de son infériorité, de son insuffisance vitale. A onze ans, la mort de son petit cousin Émile Widmer provoqua le premier de ces ébranlements profonds de sa sensibilité : il ne connaissait pourtant que très peu cet enfant de quatre ans et n'avait pas pour lui *de sympathie bien particulière*, mais sa mort n'était pour le jeune André que l'événement déclencheur d'une *angoisse indéfinissable* qu'il ne s'expliquait pas et qui manifestait son hypertension nerveuse.

Ce nervosisme fut peu à peu compliqué, aggravé par le penchant à l'examen de conscience et à l'introspection que favorisait l'éducation protestante. Anxieux, l'enfant tendait à se considérer responsable du mal qui l'entourait ; et ce sentiment de culpabilité le divisait encore davantage.

Gide s'est assez peu étendu, dans *Si le grain ne meurt*, sur ce qu'il ressentit à la mort de son père, qui survint peu après le *Schaudern* provoqué par celle du petit Émile Widmer ; il se rappelait avoir été *surtout sensible à l'espèce de prestige dont ce deuil (le) revêtait aux yeux de (ses) camarades* et notait, au souvenir des soins affectueux dont sa mère alors l'entoura pour lui éviter *un ébranlement nerveux trop fort : Je me sentis soudain tout enveloppé par cet amour, qui désormais se refermait sur moi*. Mais – nous serons conduit à y revenir longuement –, pour Gide comme pour la plupart des écrivains qui ont beaucoup parlé d'eux-mêmes, les œuvres de fiction sont plus révélatrices de ses secrets les plus intimes que ses Mémoires, son *Journal* ou ses divers écrits autobiographiques ; et c'est dans *les Faux-Monnayeurs* qu'on trouve le témoignage, difficilement contestable, de l'importance qu'eut la mort de son père pour la psychologie anxieuse d'André Gide. L'un des personnages du roman, le jeune Boris Lapérouse, a lui aussi perdu son père ; lui aussi, enfant nerveux et divisé, est déchiré par une angoisse de culpabilité qu'ont cristallisée les remontrances de sa mère lorsqu'elle surprit ses *mauvaises habitudes : ... Sa mère l'a grondé, supplié, sermonné, j'imagine. La mort du père est survenue. Boris s'est persuadé que ses pratiques secrètes qu'on lui peignait comme si coupables, avaient reçu leur châtiment ; il s'est tenu pour responsable de la mort de son père ; il s'est cru criminel, damné...* Trop d'éléments nous invitent à voir dans le roman, et entre autres dans le personnage de Boris, la figuration des réalités intimes de l'auteur pour que nous hésitions devant ces ressemblances

*En 9ᵉ, à l'École Alsacienne (1877-78).
(en haut, à gauche.)*

entre l'enfant Gide et l'enfant Boris : leur ambiguïté carac-
térielle, leurs habitudes onanistes, le puritanisme de leur
mère, la coïncidence chronologique de la découverte de
leur « vice » et du décès de leur père (c'est à peine deux
ans avant la mort de Paul Gide que son fils fut renvoyé de
l'École Alsacienne pour *mauvaises habitudes*, et épouvanté,
traumatisé par les menaces grand-guignolesques de mutilation proférées par le médecin auprès duquel ses parents avaient
cru devoir le conduire, le docteur Brouardel)...

De la même façon, nous verrons comment le *Schaudern*
qui l'ébranla deux ans plus tard, lorsqu'il découvrit l'inconduite de sa tante Émile Rondeaux (Lucile Bucolin de *la
Porte étroite*), nourrit son sentiment de culpabilité – en le
faisant apparaître à ses propres yeux, lui pécheur, comme
indigne de l'amour angélique de sa cousine Madeleine,
innocente victime expiatoire...

18

Cette difficulté d'être, cet inconfort psychologique perpétuellement accru devaient avoir des conséquences contradictoires. La première esquive naturelle était le repli narcissique sur soi-même ; et l'on sait de reste combien l'attitude du héros mythique, amoureux de sa propre image, séduisit le jeune Gide. L'amour qu'il porta à Madeleine Rondeaux, celui d'André Walter pour Emmanuèle, fut en grande partie l'amour de Narcisse pour Écho : négation de sa division intérieure par la création d'un double imaginaire, d'une âme sœur et toute pareille qui permît la fusion et l'unité, paradis perdu.

Attitude contraire, mais non moins naturelle, que celle de Narcisse, la fuite vers autrui, « dans » autrui, fut dès l'enfance une constante du caractère gidien. Au premier chapitre de *Si le grain ne meurt*, l'anecdote de son petit camarade du Luxembourg devenu aveugle *(Nous l'appelions Mouton, à cause de sa petite pelisse en toison blanche)* illustre déjà ce trait : se souvenant du chagrin qu'il eut en apprenant l'infirmité dont Mouton était désormais affligé, il raconte : *Je m'en allai pleurer dans ma chambre, et durant plusieurs jours m'exerçai à demeurer longtemps les yeux fermés, à circuler sans les ouvrir, à m'efforcer de ressentir ce que Mouton devait éprouver.* Simple jeu d'enfant curieux de sensations ? Peut-être, mais quel exemple, déjà, de ce don de sympathie qui proprement l'expulsait de lui-même, le projetait dans l'autre, le faisait vivre par « empathie » (le mot est de Jean Delay) plus que par sympathie, le délivrant ainsi de ses propres contradictions ; ne retrouve-t-on pas le petit André, s'efforçant de ressentir ce que Mouton devait éprouver, dans ces réflexions d'Édouard, le romancier des *Faux-Monnayeurs : Mon cœur ne bat que par sympathie ; je ne vis que par autrui ; par procuration, pourrais-je dire, par épousaille, et ne me sens jamais vivre plus intensément que quand je m'échappe à moi-même pour devenir n'importe qui.* Et à lire ce que Gide nous dit des amitiés passionnées de son enfance, on les sent empreintes du besoin de se fuir lui-même, de se laisser supplanter par un autre être – prédisposition à ce qu'Édouard appellera le *lyrisme, état de l'homme qui consent à se laisser vaincre par Dieu,* à se laisser posséder par l'inspiration, l'*enthousiasme*; ces mouvements de sensibilité ont un aspect mystique qui les apparente en quelque sorte à l'extase, où *la raison s'endort, le cœur veille...* Pour l'enfant Gide, il s'agissait déjà, si nous osons ces termes d'école, de retrouver la plénitude harmonieuse de l'en-soi en niant l'hiatus de la conscience personnelle, les contradictions et les divisions du pour-soi.

Autre échappatoire, banale d'ailleurs, à son malaise essentiel, le jeune André fuyait dans le rêve et l'imaginaire. Le sentiment de sa propre fragilité, de son inadaptation à la vie réelle, le poussait soit à s'isoler narcissiquement en supprimant le monde extérieur, soit au contraire à dilater, à épaissir ce monde, à le compliquer de telle sorte que, le mystère accru, il pût s'y affirmer, pris dans un réseau de correspondances également mystérieuses : *La croyance indistincte, indéfinissable*, dit-il, *à je ne sais quoi d'autre, à côté du réel, du quotidien, de l'avoué, m'habita durant nombre d'années. (...) Rien de commun avec les contes de fées, de goules ou de sorcières; ni même avec ceux d'Hoffmann ou d'Andersen que, du reste, je ne connaissais pas encore. Non, je crois bien qu'il y avait plutôt là un maladroit besoin d'épaissir la vie — besoin que la religion, plus tard, serait habile à contenter; et une certaine propension, aussi, à supposer le clandestin.* Et plus loin, toujours dans *Si le grain ne meurt : J'ai dénoncé déjà cet enfantin besoin de mon esprit de combler avec du mystère tout l'espace et le temps qui ne m'étaient pas familiers. Ce qui se passait derrière mon dos me préoccupait fort, et parfois même il me semblait que, si je me retournais assez vite, j'allais voir du je-ne-sais-quoi.* Disons mieux : plus que doué d'un sens du mystère, Gide paraît avoir manqué *d'un certain sens de la réalité*, ainsi qu'il le note dans une page fort curieuse du *Journal : Je puis être extrêmement sensible au monde extérieur, mais je ne parviens jamais parfaitement à y croire (...). Je crois même que ce sens du monde extérieur varie beaucoup selon les espèces animales. Un chat est habitué à un appartement; mais sortant de cette salle à manger il trouverait à côté, au lieu de la galerie, une forêt vierge, il n'en serait pas trop étonné (...). Il me semble que moi de même... En ouvrant cette porte,*

*tout à coup je me trouverais en face de..., par exemple : de la
mer... Eh bien! oui, je dirais : c'est bizarre! parce que je sais
qu'elle ne devrait pas être là; mais cela c'est du raisonnement.
Je ne me débarrasse pas d'un certain étonnement que les choses
soient comme elles sont, et elles seraient tout à coup différentes,
il me semble que cela ne m'étonnerait pas beaucoup davantage.
Le monde réel me demeure toujours un peu fantastique.* (Journal,
20 décembre 1924.) Et, illustrant cela du récit d'un accident
qui lui arriva lors de son voyage en Bretagne de l'été 1889,
il remarque : *Je me souviens de l'état bizarre où je me découvris.
Ce fut une sorte de brusque révélation sur moi-même. Je ne
ressentais pas la moindre émotion; simplement j'étais extraordinairement intéressé (amusé serait plus exact), très apte du reste
à parer, capable de réflexes appropriés, etc. Mais assistant à tout
cela comme à un spectacle* en dehors de la réalité. On pourrait rassembler un grand nombre de cas où apparaît ce dédoublement de la personnalité de Gide en acteur et spectateur :
et c'est ici que s'ouvre sur l'infini le jeu d'une ambiguïté
sans cesse plus profonde et plus subtile, où bientôt le sujet
se perd et ne sait plus distinguer sa vérité de son apparence.
Quoi que je dise ou fasse, dit encore un personnage des *Faux-
Monnayeurs*, Armand Vedel, *toujours une partie de moi reste
en arrière, qui regarde l'autre se compromettre, qui l'observe,
qui se fiche d'elle et la siffle, ou qui l'applaudit. Quand on est
ainsi divisé, comment veux-tu qu'on soit sincère ? J'en viens à
ne même plus comprendre ce que peut vouloir dire ce mot.*

« Comédien peut-être... »

Mme Paul Gide et son fils passèrent l'hiver 1881-82 à
Montpellier, non pas chez *l'oncle Charles* (le frère cadet de
Paul Gide, de quinze ans plus jeune, également agrégé de
droit, y enseignait l'économie politique, dont il devint un
maître réputé), mais non loin, dans l'appartement *petit, laid,
misérable*, au mobilier *sordide*, qu'ils louèrent près de l'Espla-
nade, à proximité du vieux lycée où le jeune André entra en

classe de sixième – *Je doute si ce lycée avait beaucoup changé depuis le temps de Rabelais...* Ce séjour montpelliérain fut malheureux, et représente une crise très probablement décisive dans l'évolution de l'ambiguïté gidienne : arrêtons-nous-y un instant.

Au lycée, Gide s'était heurté dès son entrée à la division des élèves en deux clans ennemis, protestants et catholiques, et à la brutalité de leurs jeux ; puis vint ce jour où, formé par l'École Alsacienne, il osa *réciter à peu près décemment* des vers, au lieu de les débiter, selon l'usage, à grande vitesse et sans intonation, en un uniforme magma de mots privés de sens : il obtint un *dix sur dix*, mais *ce stupide succès de récitation, et la réputation de poseur qui s'ensuivit déchaînèrent l'hostilité de mes camarades ; ceux qui d'abord m'avaient entouré me renoncèrent ; les autres s'enhardirent dès qu'ils ne me virent plus soutenu. Je fus moqué, rossé, traqué. (...) Certains jours je rentrais dans un état pitoyable, les vêtements déchirés, pleins de boue, saignant du nez, claquant des dents, hagard. Ma pauvre mère se désolait. Puis enfin je tombai sérieusement malade, ce qui mit fin à cet enfer. On appela le docteur : j'avais la petite vérole. Sauvé !* Salut tout provisoire : la guérison vite venue, l'angoisse renaquit de devoir tomber à nouveau dans ce même enfer. Alors...

Voici, je crois, comment cela commença : Au premier jour qu'on me permit de me lever, un certain vertige faisait chanceler ma démarche, comme il est naturel après trois semaines de lit. Si ce vertige était un peu plus fort, pensai-je, puis-je imaginer ce qui se passerait ? Oui, sans doute : ma tête, je la sentirais fuir en arrière ; mes genoux fléchiraient (j'étais dans le petit couloir qui menait de ma chambre à celle de ma mère) et soudain je croulerais à la renverse. Oh ! me disais-je, imiter ce qu'on imagine ! Et tandis que j'imaginais, déjà je pressentais quelle détente, quel répit je goûterais à céder à l'invitation de mes nerfs. Un regard en arrière, pour m'assurer de l'endroit où ne pas me faire trop de mal en tombant...

De cette comédie, on notera avec quel détachement ironique Gide décrit le résultat :

Dans la pièce voisine, j'entendis un cri. C'était Marie ; elle

accourut. Je savais que ma mère était sortie ; un reste de pudeur, ou de pitié, me retenait encore devant elle ; mais je comptais qu'il lui serait tout rapporté. Après ce coup d'essai, presque étonné d'abord qu'il réussît, promptement enhardi, devenu plus habile et plus décidément inspiré, je hasardai d'autres mouvements, que tantôt j'inventais saccadés et brusques, que tantôt je prolongeais au contraire, répétais et rythmais en danses. J'y devins fort expert et possédai bientôt un répertoire assez varié. (...)

Maintes fois par la suite je me suis indigné contre moi-même, doutant où je pusse trouver le cœur, sous les yeux de ma mère, de mener cette comédie. Mais avouerai-je qu'aujourd'hui cette indignation ne me paraît pas bien fondée. Ces mouvements que je faisais, s'ils étaient conscients, n'étaient qu'à peu près volontaires. C'est-à-dire que, tout au plus, j'aurais pu les retenir un peu. Mais j'éprouvais le plus grand soulas à les faire. Ah ! que de fois, longtemps ensuite, souffrant des nerfs, ai-je pu déplorer de n'être plus à un âge où quelques entrechats...

Que la volonté, partant la simulation, la comédie entrent pour une part dans cette conduite, c'est incontestable ; mais c'est une conduite de libération et d'affirmation, ce qui nous doit interdire de la taxer tout uniment de mensonge ; on voit qu'il s'agit plutôt d'une sincérité supérieure, d'une véritable « catharsis » par laquelle le sujet se libère de ce qui opprime et inhibe son être propre. Il donne vie à ce qui, en lui, est son projet authentique, sa vérité personnelle ; pour l'écrivain Gide, plus tard, la création de personnages romanesques ne sera d'ailleurs pas autre chose que cette libération des divers êtres, parfois contradictoires, qui cohabitent en lui. En attendant, l'adolescent des *Cahiers d'André Walter* qui connaîtra, sous une forme moins angoissée que la victime des petites brutes de Montpellier, la nécessité de ces attitudes volontaires – attitudes de comédie qui « deviennent » sincères aux lieu et place d'une première sincérité insoutenable ou impossible parce que contradictoire – aura pour les définir une formule heureuse : *Comédien ? peut-être... ; mais c'est moi-même que je joue.*

Mais tout se compliquait : le sentiment douloureux de son ambiguïté, qui tout à la fois le déchirait et le fascinait, poussait Gide dans une nouvelle contradiction : devait-il choisir de renier sa propre diversité en *s'imposant* une harmonie, une unité volontaires ? ou accepter d'être Protée et se dissoudre dans la sincérité mouvante, insaisissable, de chaque instant ?... L'alternative était inconfortable ; mais à vingt-deux ans passés, il n'avait pas encore choisi : *Je m'agite dans ce dilemme*, lit-on dans le *Journal* de 1892 (11 janvier) : *être moral ; être sincère. La morale consiste à supplanter l'être naturel (le vieil homme) par un être factice préféré. Mais alors, on n'est plus sincère. Le vieil homme, c'est l'homme sincère.*

Avec André Walter, somme de la vingtième année, nous nous efforcerons de faire le point. Mais dès la crise de 1882 la genèse du drame s'est précisée : d'un côté, une émotivité maladive compliquant une nature ambiguë, cherchant à la fois à s'exprimer et à fuir un malaise que la tendance à l'introspection ne fait qu'accroître... ; de l'autre, les contraintes d'une éducation puritaine favorisant un véritable complexe de culpabilité, tôt fixé sur la pratique enfantine de l'onanisme et inhibant l'expression sincère du moi. De là un déséquilibre dont, plus tard, Gide trouvera la solution dans la création artistique, mais qui, pour l'enfant malade de Montpellier, était à un point douloureux de crise... Après la petite vérole, les comédies nerveuses, la cure à Lamalou, les douches à Gérardmer, il dut ingurgiter les drogues de « M. Lizart », le médecin choisi par Mme Paul Gide *(un être débonnaire, blond et niais, à la voix caressante, au regard tendre, au geste mou ; inoffensif en apparence ; mais rien n'est plus redoutable qu'un sot...) : Dès que je me sentais, ou prétendais, nerveux : du bromure ; dès que je ne dormais pas : du chloral. Pour un cerveau qui se formait à peine !*

Ces déplorables excès médicamenteux n'arrangeaient rien... *Je ne comprends encore pas comment j'en ai pu revenir. Décidément le diable me guettait ; j'étais tout cuisiné par l'ombre, et rien ne laissait pressentir par où pût me toucher un rayon. C'est alors que survint l'angélique intervention que je vais dire, pour me disputer au malin.*

Ombres et lumières

Cette *angélique intervention* fut la découverte de son amour pour sa cousine Madeleine Rondeaux, l'Emmanuèle des *Cahiers d'André Walter* et du *Journal*, l'Alissa de *la Porte étroite* : *Je découvrais soudain un nouvel orient à ma vie...* Toutefois, avant de prendre avec lui ce tournant en effet capital de sa jeunesse, il faut souligner que jusqu'ici nous avons surtout décrit les aspects ténébreux et dramatiques de l'enfance de Gide : si *cuisiné par l'ombre* qu'il fût, il convient aussi de montrer les zones de franche lumière qu'il connut, ces périodes de vacances heureuses dont le souvenir nous valut des pages qui sont parmi les plus belles de *Si le grain ne meurt...*

Vacances au château familial de La Roque-Baignard, les plus anciennes, domaine enchanté, paradis perdu... Sur la poterne, une inscription latine affirmait que sire François Labbey de La Roque avait fait construire en 1577 cette grande demeure, en majeure partie détruite en 1792 « sceleste tumultuantium turba », et restaurée en 1803...

Quoi qu'il en fût, il sautait aux yeux que le corps de logis principal était de construction bien plus récente, sans autre attrait que le manteau de glycine qui le vêtait. Le bâtiment de la cuisine, par contre, et la poterne, de proportions menues mais exquises, présentaient une agréable alternance de briques et de chaînes de pierre, selon le style de ce temps. Des douves entouraient l'ensemble, suffisamment larges et profondes, qu'alimentait et avivait l'eau détournée de la rivière ; un ruisselet fleuri de myosotis amenait celle-ci et la déversait en cascade. Comme sa chambre en était voisine, Anna l'appelait « ma cascade » ; toute chose appartient à qui sait en jouir.

Au chant de la cascade se mêlaient les chuchotis de la rivière et le murmure continu d'une petite source captée qui jaillissait hors de l'île, en face de la poterne ; on y allait cueillir pour les repas une eau qui paraissait glacée et, l'été, couvrait de sueur les carafes.

Un peuple d'hirondelles sans cesse tournoyait autour de la maison ; leurs nids d'argile s'abritaient sous le rebord des toits, dans l'embrasure des fenêtres, d'où l'on pouvait surveiller les couvées. Quand je pense à La Roque, c'est d'abord leurs cris que j'entends ; on eût dit que l'azur se déchirait à leur passage. (...)

Paradis naturel de l'enfance...

Qui dira l'amusement, pour un enfant, d'habiter une île, une île toute petite, et dont il peut, du reste, s'échapper quand il

veut ? Un mur de briques, en manière de parapet, l'encerclait, reliant exactement l'un à l'autre chacun des corps de bâtiments ; à l'intérieur épaissement tapissé de lierre, il était assez large pour qu'on le pût arpenter sans imprudence ; mais, pour pêcher à la ligne, on était alors trop en vue des poissons, et mieux valait se pencher simplement par-dessus ; la surface extérieure et plongeante s'ornait de-ci de-là de plantes pariétales, valérianes, fraisiers, saxifrages, parfois même un petit buisson, que maman regardait d'un mauvais œil parce qu'il dégradait la muraille, mais qu'Anna obtenait qu'elle ne fît pas enlever, parce qu'une mésange y nichait.

Moins mystérieuses, moins romantiques que cette campagne voilée qui fait un peu penser à la Sologne du Grand Meaulnes, les descriptions du pays uzétien sont pleines de joie et de soleil :

Par Nîmes, (...) la route était beaucoup plus belle. Au pont Saint-Nicolas elle traversait le Gardon ; c'était la Pales-

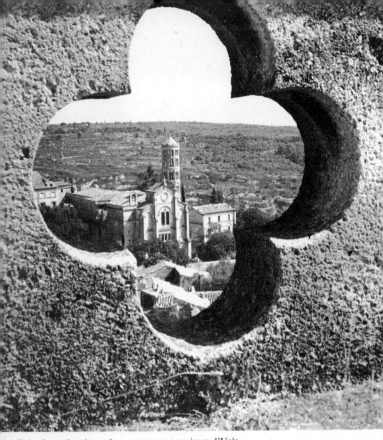

J'aimais passionnément la campagne aux environs d'Uzès...

tine, la *Judée. Les bouquets des cistes pourpres ou blancs cha-*
marraient la rauque garrigue, que les lavandes embaumaient.
Il soufflait par là-dessus un air sec, hilarant, qui nettoyait la
route en empoussiérant l'alentour. Notre voiture faisait lever
d'énormes sauterelles qui tout à coup déployaient leurs mem-
branes bleues, rouges ou grises, un instant papillons légers,
puis retombaient un peu plus loin, ternes et confondues, parmi la
broussaille et la pierre.

Aux abords du Gardon croissaient des asphodèles, et, dans le lit même du fleuve, presque partout à sec, une flore quasi tropicale... (...) Aux endroits encaissés, au pied des falaises ardentes qui réverbéraient le soleil, la végétation était si luxuriante que l'on avait peine à passer. Anna s'émerveillait aux plantes nouvelles, en reconnaissait qu'elle n'avait encore jamais vues à l'état sauvage, – et j'allais dire : en liberté – comme ces triomphants daturas qu'on nomme des « trompettes de Jéricho », dont sont restées si fort gravées dans ma mémoire, auprès des lauriers-roses, la splendeur et l'étrangeté. On avançait prudemment à cause des serpents, inoffensifs du reste pour la plupart, dont nous vîmes plusieurs s'esquiver. Mon père musait et s'amusait de tout.

N'oublions donc pas cette joie de vivre, cette enfance heureuse, dilatée aux dimensions d'une nature accueillante et prodigue de ses secrets et de ses beautés ; ces jeux, aussi, dont cette enfance prétendue *rechignée* a été riche (Charles Du Bos lui ayant un jour avoué qu'il n'avait jamais joué, Gide notait dans son *Journal* de 1930 : *C'est le secret d'un manque énorme*) : billes, kaléidoscopes, patiences, décalcomanies, pêche à la ligne... – jeux solitaires, mais aussi, chez l'oncle Émile, à Rouen, les *pathétiques courses* sur les wagonnets du magasin, à la fabrique du Houlme, avec ses cousines Jeanne et Valentine (Suzanne et Louise dans *Si le grain ne meurt*) : car Madeleine (Emmanuèle) ne les y accompagnait pas *parce qu'il n'y avait que trois wagons, qu'elle n'aimait pas les aventures, et surtout qu'elle n'était pas bien sûre que ce fût permis...* Il y avait encore les toquades d'entomologie ou d'herborisation, d'expériences de chimie (qu'une explosion rendit un jour moins audacieuses)... Bref, distractions communes à tous les enfants, qui témoignent d'un caractère bien peu « ténébreux » de nature, et où, par conséquent, le rôle des circonstances, et de l'éducation maternelle au premier chef, a dû être considérable pour que se nouât le drame complexe dont nous avons vu les prémices.

l faut bien oser parler de Madeleine Gide...
Pourtant, l'historien, tout conscient qu'il
peut être aujourd'hui d'une part de l'importance du rôle qu'elle eut dans l'itinéraire d'André Gide, et d'autre part de
l'infidélité du portrait que celui-ci nous
en a laissé, l'historien qui ne l'a pas connue
hésite ; il hésite à risquer sa lourde plume
sur la mémoire de cette femme qui fut
la noblesse, la délicatesse, mais aussi la
discrétion mêmes. On aimerait pouvoir se dérober, en citant
in extenso le très beau livre de Jean Schlumberger, *Madeleine
et André Gide*... Mais il faut oser et, après avoir recomposé
l'image à l'aide des traits épars dans l'œuvre, des *Cahiers
d'André Walter* à *Et nunc manet in te*, tenter de voir, derrière
Emmanuèle, Ellis, Marceline, Alissa..., qui fut la vraie
Madeleine et ce que signifie l'altération de son personnage
dans le « drame » vécu par Gide.

Elle lui fut liée dès leur première enfance – au point que,
cinquante-six années après ce soir de décembre 1882 où, à
Rouen, rue de Lecat, il la découvrit agenouillée et qui pleurait, il pouvait écrire : *Il me semble que ce n'est qu'éveillé par
mon amour pour elle que je pris conscience d'être et commençai*

deleine Rondeaux en sa quinzième année :
s la ligne étrangement évasive de ses sourcils...

vraiment d'exister. De presque trois ans plus âgée que lui, elle était aussi, enfant, précocement plus sage, plus mûre, plus réservée ; elle ne se mêlait que prudemment aux jeux de son cousin André, de ses jeunes frères, Édouard et Georges, et de ses sœurs, Jeanne, vive et enjouée, et Valentine, à l'humeur changeante ; ces jeux devenaient-ils bruyants, *elle s'isolait alors avec un livre ; l'on eût dit qu'elle désertait ; aucun appel ne l'atteignait plus ; le monde extérieur cessait pour elle d'exister ; elle perdait la notion du lieu au point qu'il lui arrivait de tomber tout à coup de sa chaise. Elle ne querellait jamais ; il lui était si naturel de céder aux autres son tour, ou sa place, ou sa part, et toujours avec une grâce si souriante, qu'on doutait si elle ne le faisait pas plutôt par goût que par vertu, et si ce n'est pas en agissant différemment qu'elle se fût contrainte.* Pour son jeune cousin, elle était la grâce, la douceur, l'intelligence intuitive et la bonté ; d'abord préoccupée du bonheur de ceux qui l'entouraient, elle leur apportait le rayonnement de la paix intérieure, d'une harmonie profonde qui devait fasciner l'enfant déchiré qu'était André Gide.

Une faille pourtant dans cet équilibre : son extrême modestie, qui faisait que *sans cesse elle doutait d'elle, de sa beauté, de ses mérites, de tout ce qui faisait la force de son rayonnement, de sa valeur,* sa modestie semblait, au témoignage de l'auteur d'*Et nunc manet in te,* traduire surtout un effarouchement profond devant la vie, un sentiment aigu de sa propre fragilité. Gide lui-même en faisait remonter l'origine à cet événement capital de décembre 1882 que nous avons déjà évoqué et qui marque la naissance de leur amour :

La confiance lui était naturelle, ainsi qu'aux âmes très aimantes. Mais cette confiance qu'elle apportait en entrant dans la vie fut bientôt rejointe par la crainte, car elle avait, à l'égard de tout ce qui n'est pas de parfait aloi, une perspicacité singulière. Par une sorte d'intuition subtile, une inflexion de voix, l'ébauche d'un geste, un rien l'avertissait ; et c'est ainsi que, toute jeune encore et la première de sa famille, elle s'aperçut de l'inconduite de sa mère. Ce secret douloureux, qu'elle dut d'abord et longtemps garder par devers elle, la marqua, je crois, pour la vie. Toute la vie elle resta comme un enfant qui a pris peur. Hélas! je n'étais pas de nature à la pouvoir beaucoup rassurer... La petite photographie, à demi effacée à présent, qui me la représente à l'âge qu'elle avait alors, laisse lire sur son visage et dans la ligne étrangement évasive de ses sourcils, une sorte d'interrogation, d'appréhension, d'étonnement craintif au seuil de la vie.

Naissance de l'amour

De cette soirée d'hiver, aux approches du Nouvel an 1883, où le jeune André Gide découvrit soudain *un nouvel orient à sa vie*, où ses yeux s'ouvrirent *comme ceux de l'aveugle-né quand les eut touchés le Sauveur*, nous avons deux récits : celui, directement autobiographique, de *Si le grain ne meurt* et celui, prétendu « romancé », que Gide a placé au premier chapitre de *la Porte étroite*. C'est le second que nous choisirons de lire ici, non par goût du paradoxe mais parce que, tout aussi fidèle que celui des *Mémoires* (à les comparer de près, on ne voit guère que les noms différer d'une narration à l'autre, et l'on ne peut parler de transposition romanesque...), il précise en outre les réactions sentimentales de l'adolescent – la portée religieuse qu'eut pour lui l'événement.

En ce début du roman, Jérôme ignore encore la nature de ce qui l'attache à sa cousine Alissa :

Qu'Alissa Bucolin fût jolie, c'est ce dont je ne savais m'apercevoir encore; j'étais requis et retenu près d'elle par un charme autre que celui de la simple beauté. Sans doute, elle ressemblait beaucoup à sa mère; mais son regard était d'expression si différente que je ne m'avisai de cette ressemblance que plus tard. Je ne puis décrire un visage; les traits m'échappent, et jusqu'à la couleur des yeux; je ne revois que l'expression presque triste déjà de son sourire et que la ligne de ses sourcils, si extraordinairement relevés au-dessus des yeux, écartés de l'œil en grand cercle. Je n'ai vu les pareils nulle part... si pourtant : dans une statuette florentine de l'époque du Dante; et je me figure volontiers que Béatrix enfant avait des sourcils très largement arqués comme ceux-là. Ils donnaient au regard, à tout l'être, une expression d'interrogation à la fois anxieuse et confiante, – oui, d'interrogation passionnée. Tout, en elle, n'était que question et qu'attente...

Un soir que Jérôme avait dîné chez son oncle Bucolin, et qu'il errait sur les quais du Havre (lisons Rouen), le désir le saisit brusquement de revenir auprès de sa cousine, qu'il venait de quitter... Il retraverse la ville en courant et s'engouffre dans la maison, passant outre aux protestations de la concierge.

La chambre d'Alissa est au troisième étage. Au premier, le salon et la salle à manger ; au second, la chambre de ma tante d'où jaillissent des voix. La porte est ouverte, devant laquelle il faut passer ; un rai de lumière sort de la chambre et coupe le palier de l'escalier ; par crainte d'être vu, j'hésite un instant, me dissimule, et, plein de stupeur, je vois ceci : au milieu de la chambre aux rideaux clos, mais où les bougies de deux candélabres répandent une clarté joyeuse, ma tante est couchée sur une chaise longue ; à ses pieds, Robert et Juliette ; derrière elle, un inconnu jeune homme en uniforme de lieutenant. La présence de ces deux enfants m'apparaît aujourd'hui monstrueuse ; dans mon innocence d'alors, elle me rassura plutôt. Ils regardent en riant l'inconnu qui répète d'une voix flûtée :

– Bucolin ! Bucolin !... Si j'avais un mouton, sûrement je l'appellerais Bucolin.

Ma tante elle-même rit aux éclats. Je la vois tendre au jeune homme une cigarette qu'il allume et dont elle tire quelques bouffées. La cigarette tombe à terre. Lui s'élance pour la ramasser, feint de se prendre les pieds dans une écharpe, tombe à genoux devant ma tante... A la faveur de ce ridicule jeu de scène, je me glisse sans être vu.

A-t-il compris ? Là n'est pas l'important.

Me voici devant la porte d'Alissa. J'attends un instant. Les rires et les éclats de voix montent de l'étage inférieur ; et peut-être ont-ils couvert le bruit que j'ai fait en frappant, car je n'entends pas de réponse. Je pousse la porte, qui cède silencieusement. La chambre est déjà si sombre que je ne distingue pas aussitôt Alissa ; elle est au chevet de son lit, à genoux, tournant le dos à la croisée d'où tombe un jour mourant. Elle se retourne, sans se relever pourtant, quand j'approche ; elle murmure :

— Oh ! Jérôme, pourquoi reviens-tu ?

Je me baisse pour l'embrasser ; son visage est noyé de larmes...

Minute d'éternité, fort éloignée du romanesque :

Cet instant décida de ma vie ; je ne puis encore aujourd'hui le remémorer sans angoisse. Sans doute je ne comprenais que bien imparfaitement la cause de la détresse d'Alissa, mais je sentais intensément que cette détresse était beaucoup trop forte pour cette petite âme palpitante, pour ce frêle corps tout secoué de sanglots.

Je restais debout près d'elle, qui restait agenouillée ; je ne savais rien exprimer du transport nouveau de mon cœur ; mais je pressais sa tête contre mon cœur et sur son front mes lèvres par où mon âme s'écoulait. Ivre d'amour, de pitié, d'un indistinct mélange d'enthousiasme, d'abnégation, de vertu, j'en appelais à Dieu de toutes mes forces et m'offrais, ne concevant plus d'autre but à ma vie que d'abriter cette enfant contre la peur, contre le mal, contre la vie. Je m'agenouille enfin plein de prière ; je la réfugie contre moi ; confusément je l'entends dire :

— Jérôme ! ils ne t'ont pas vu, n'est-ce pas ? Oh ! va-t'en vite ! Il ne faut pas qu'ils te voient.

Puis, plus bas encore :

— Jérôme, ne raconte à personne... mon pauvre papa ne sait rien.

Quoiqu'on s'attendît peu à voir Jérôme-André Gide, plus jeune que sa cousine Alissa-Madeleine, tenir auprès d'elle le rôle protecteur d'un frère aîné, il était naturel que l'amour naquît entre deux êtres de cette qualité ; leur attirance réciproque se fondait sur une commune profondeur, une soif de pureté et une ferveur qui les poussaient tous deux. Elle, dont les élans se sentaient étouffés dans le climat de la bourgeoisie rouennaise, pouvait être séduite par le bouillonnement intérieur précoce de l'adolescent ; quant à lui, ce que brutalement il découvrait au cœur de Madeleine excitait cette sympathie pour les faibles, les opprimés, les souffrants qui, comme une sorte de contre-poids au sentiment de sa faiblesse à lui, l'anima dès l'enfance. De plus, nous l'avons vu angoissé par la présence du Mal et, s'il ne tint pas son propre péché pour la cause de l'injuste douleur qui accablait sa cousine, il s'offrit du moins tout naturellement en rachat de ce mal. Tout leur fut bientôt occasion de se rapprocher, de penser et de s'émouvoir ensemble : ...*les jeux en commun des premières années, les paysages vus, les longs entretiens, les lectures, quand tout est inconnu et qu'on découvre ensemble... qui ne sont rien pour d'autres, mais nous ont formés peu à peu, c'est pourquoi si pareils...* Leurs lectures étaient communes, ainsi que leurs enthousiasmes : les Grecs, c'est-à-dire Homère et les Tragiques, les romanciers anglais et les grands Russes... Gide, en marge de chaque phrase qui, dans les livres qu'il lisait, lui paraissait mériter leur attention, inscrivait l'initiale de Madeleine ; de son côté, elle notait un jour dans ses Carnets personnels : *André, que de belles pages lues sans toi – et quelle privation pour moi...* Lorsqu'au cours de l'été 1885, où il s'était lié d'une amitié *passionnée* avec celui qu'il appelle Lionel de R. dans *Si le grain ne meurt* (et qui était François de Witt-Guizot, le petit-fils du ministre de Louis-Philippe), Gide entreprit avec lui de ferventes lectures religieuses : Bossuet, Fénelon, Pascal..., ce ne fut pas sans les faire partager à Madeleine ; dans l'exaltation qui suivit, entretenue par la vie ascétique à laquelle il essayait de se soumettre *(Par macération, je dormais sur une planche ; au milieu de la nuit je me relevais, m'agenouillais encore, mais non point tant par macération que par impatience de joie. Il me semblait alors atteindre à l'extrême sommet du bonheur)*, il tendait à une sorte de pur amour, content de son propre feu : *Peut-être, à l'imitation du divin*, suggère-t-il dans *Si le grain ne meurt*, *mon amour pour ma cousine s'accommodait-il par trop facilement de l'absence.* Toutefois, leurs élans mystiques se confondaient, se mêlaient à leur tendresse qui déjà n'était plus fraternelle ; une correspondance régulière s'était établie entre eux...

La vie ne m'était plus de rien sans elle, et je la rêvais partout m'accompagnant, comme à La Roque, l'été, dans ces promenades matinales où je l'entraînais à travers bois. Nous sortions quand la maison dormait encore. L'herbe était lourde de rosée ; l'air était frais ; la rose de l'aurore avait fané depuis longtemps,

mais l'oblique rayon nous riait avec une nouvelleté ravissante.
Nous avancions la main dans la main, ou moi la précédant de
quelques pas, si la sente était trop étroite. Nous marchions à
pas légers, muets, pour n'effaroucher aucun dieu, ni le gibier,
écureuils, lapins, chevreuils, qui folâtre et s'ébroue, confiant
en l'innocence de l'heure, et ravive un éden quotidien avant
l'éveil de l'homme et la somnolence du jour. Éblouissement
pur, puisse ton souvenir, à l'heure de la mort, vaincre l'ombre !
Mon âme, que de fois, par l'ardeur du milieu du jour, s'est
rafraîchie dans ta rosée...

Et l'enfant luttait contre son *péché,* ces habitudes solitaires
qui avaient revêtu un caractère obsessionnel ; les *Cahiers
d'André Walter* les décriront encore avec précision, et trente-
cinq ans plus tard, *les Faux-Monnayeurs* dans le personnage
de Boris. Celui-ci aussi résiste à la tentation de *faire de la
magie,* il s'exténue dans la lutte, déchiré entre sa réelle soif
de pureté et le démon auquel il finit toujours par céder ;
il se punit, se révolte, ne fait que s'enfermer davantage.
Il se juge indigne de la pure Bronja : *Bronja, dit-il, toi, tu
n'es pas méchante, c'est pour ça que tu peux voir les anges.
Moi, je serai toujours un méchant.* Pour le jeune André Gide,
l'amour, la piété qu'il vouait à Madeleine l'ancraient ainsi
dans son angoisse d'adolescent coupable, qui ne voulait
offrir à sa cousine que la partie pure de lui-même – n'arri-
vant pas à supprimer *tout le reste.*

Si cet amour alla s'éthérant, s'idéalisant de plus en plus,
Gide ne sentit pas s'apaiser les troubles de sa chair ; mais leur
objet demeurait vague, contraints qu'ils étaient par une force
plus puissante que l'instinct. Dès qu'il ne fut plus, comme
en sa dixième année, *parfaitement ignorant, incurieux même,
des œuvres de la chair,* son indifférence se changea en répu-
gnance, ou plutôt en *peur* : s'il sentait qu'*en lui* coexistaient
les deux postulations baudelairiennes vers le Ciel et vers
l'Enfer, cet écartèlement lui semblait impossible chez la
femme. Celle-ci ne pouvait être qu'une sainte, comme l'étaient
toutes les femmes vertueuses qui avaient entouré son enfance
– ou un suppôt du Malin, l'une de ces *quêtantes créatures*
qui lui inspiraient *autant de terreur que des vitrioleuses.* On

reconnaît là, bien sûr, le manichéisme naturellement engendré par l'éducation puritaine et l'ombre satanique dont elle couvre les choses de la chair. Gide accepta ce dualisme, et, insensible aux *provocations du dehors*, lorsqu'il cédait aux exigences de sa sexualité, c'était à la masturbation : *Tout le mystère féminin, si j'eusse pu le découvrir d'un geste, ce geste je ne l'eusse point fait.*

La naissance, la croissance de son amour pour Madeleine ne changèrent rien à cet état d'esprit. D'abord, proches dès l'enfance, n'étaient-ils pas comme frère et sœur ? Et la noble figure, précocement grave, de Madeleine répondait d'emblée à la conception qu'André se faisait de la femme – et favorisait même les embardées mystiques de celui-ci... Comment il envisagea néanmoins son mariage, c'est ce que nous essayerons de voir à propos d'*André Walter*. Mais dès avant les lueurs, subtiles mais définitives, que donneront les *Cahiers* sur l'évolution ultérieure de sa sexualité, il était engagé sur la double voie : celle d'un amour désincarné et mystique, dont la pure flamme satisfaisait d'ailleurs la contemplation de Narcisse, et celle de l'acceptation coupable, honteuse mais irrésistible et obsessionnelle, d'exigences sexuelles qui le firent *jusqu'à vingt-trois ans complètement vierge et dépravé* (*Journal*, mars 1893). On sait que cette dissociation du cœur et des sens, qu'*Et nunc manet in te* qualifie d'*aveuglement*, d'*aberration*, d'*atroce inconscience*, demeura jusqu'aux environs de la quarante-cinquième année un point cardinal de la vie intime, pour ne pas dire de la doctrine d'André Gide... On a vu les racines de cet angélisme, et la part qu'y eut sa mère ; dès l'enfance, Gide avait été placé devant l'alternative entre ses instincts vitaux et l'amour pour sa mère, amour non moins instinctif mais qui impliquait, pour qu'il fût accepté, la répression ou plutôt la condamnation, la *culpabilisation* de sa sexualité. « Aussi vivait-il, écrit très justement Jean Delay, dans un compromis de satisfactions clandestines empoisonnées par le sentiment de culpabilité et d'hypocrites soumissions irritées par le sentiment de frustration ». Ayant ainsi découvert l'amour sous cette forme déchirante, qui le mutilait (et l'on sait l'importance qu'a dans la vie d'un homme cette première et naturelle fixation sur la mère de son capital affectif), Gide, amoureux d'une jeune fille qui à beaucoup d'égards ressemblait à sa mère, devait lui apporter un amour angélique, dénué de son fondement charnel.

Le refus de Madeleine

D'abord réticente à l'idée du mariage lorsqu'elle en prit conscience, Madeleine bientôt la rejeta nettement. Qu'elle aimât son cousin ne fait cependant point de doute ; les raisons de son refus furent complexes, et elle était loin de se les avouer toutes. Il y eut d'abord l'opposition de la famille, exprimée surtout par sa tante Paul Gide, qu'elle vénérait comme une mère – comme celle qui avait remplacé définitivement dans son cœur sa véritable mère, l'épouse coupable qu'elle voulait à tout prix oublier. Il était d'ailleurs naturel que, soucieuse du bonheur et de son fils et de celle qui, ayant perdu père et mère (Émile Rondeaux meurt le 1er mars 1890 ; le divorce avait entériné en 1888 la fuite de sa femme du domicile conjugal), devint presque sa fille, Mme Paul Gide les avertît du danger qu'il y avait de tenir pour un amour adulte ce qui n'était peut-être encore que la tendre affection de leur enfance. Madeleine avait certes été sensible à cet argument, et André Gide ne l'ignorait pas, qui plaça au début des *Cahiers d'André Walter* une scène, fictive bien sûr mais révélatrice des discussions qui durent entourer le projet de mariage ; André Walter rappelle les derniers moments de sa mère :

Que tu reposes en paix, ma mère. Tu as été obéie. (...)

Tu les as fait tous sortir pour me parler à moi seul (c'était quelques heures seulement avant la fin) : – « André », m'as-tu dit, « mon enfant, je voudrais mourir reposée. » Je savais déjà ce que tu me dirais et j'avais rassemblé mes forces. Tu te hâtais de parler, car ta fatigue était grande : « Il serait bon que tu quittes Emmanuèle... Votre affection est fraternelle, – ne vous y trompez pas... L'habitude d'une vie commune l'a fait naître.

Bien qu'elle soit ma nièce, ne me fais pas regretter de l'avoir comme adoptée depuis qu'elle est orpheline. – Je craindrais en vous laissant libres, que ton sentiment ne t'entraîne et que vous ne vous rendiez malheureux tous les deux – tu comprendras pourquoi. Emmanuèle a déjà bien souffert : je voudrais tant qu'elle puisse être heureuse. L'aimes-tu assez pour préférer son bonheur au tien ?

Telles ne furent pas, on le verra, les dernières volontés de Mme Paul Gide. Mais c'est bien peu avant sa mort qu'elle lâcha prise et cessa d'exposer ses craintes aux deux jeunes gens. Ceux-ci envisagèrent-ils crûment ce qui, au fond, était en question : les relations sexuelles que le lien conjugal projeté allait leur proposer ? Gide, dès les *Cahiers* (quitte à tenter *in extremis* sa *normalisation* en allant consulter quelques semaines avant son mariage un médecin, dont la maladresse fut catastrophique), tenait sa réponse : *...je ne te désire pas. Ton corps me gêne et les possessions charnelles m'épouvantent ;* et cette peur... : *Pour ne pas troubler sa pureté, je m'abstiendrai de toute caresse – pour ne pas inquiéter son âme – et même des plus chastes, des enlacements de main... de peur qu'après elle ne désire davantage, que je ne pourrais pas lui donner ; ...et je détournerai de ses yeux mes regards, de peur qu'elle ne les désire plus proches, et qu'alors, malgré moi, je n'aille jusqu'au baiser.* Madeleine, elle, était bien loin de s'accommoder de cet angélisme, ses carnets intimes en témoignent : « Que j'aime André d'amour ? – Non – en toute sincérité devant moi-même – Amour implique, me semble-t-il, désir – quelque chose de brûlant, de passionné qui n'existe pas (ni en lui ni en moi). Je l'aime, je l'aimais, comme enfants tous deux, – sans changement, – par merveilleuse harmonie en toutes choses, en tout sentiment. C'était lui et c'était moi. Ainsi s'explique qu'on la voie hésiter, passer d'un *oui* qui l'inquiète à un *non* qui la déchire ; et ce n'est pas la lecture des *Cahiers d'André Walter*, dans les premiers jours de 1891, qui l'apaise ni la convainc...

Tout amoureuse qu'elle était, la personnalité de son cousin lui faisait peur, plus que le mariage lui-même. Elle redoutait ce caractère changeant, aux sincérités successives, qui lui

devait paraître trouble : « Sais-tu, lui écrivait-elle le jour de son vingtième anniversaire, que tu m'as fait grandement réfléchir en m'expliquant si bien comment tu peux être successivement Louis, A. Walkenaer, Madeleine, etc., – partager alternativement leurs goûts, leurs préférences – et tout cela avec la même sincérité ! Cette facilité à refléter toutes les couleurs est un peu trop... caméléon. – Je ne vois pas bien la place que tiennent – au milieu de cet assentiment perpétuel et universel – tes propres goûts à toi ? Peut-être étends-tu l'éclectisme jusqu'à n'en point avoir. – Ton admiration est un grand caravansérail où chacun entre et est reçu avec le même sourire. La mienne est un petit temple où ne pénètrent que les élus. » Et la publication des *Cahiers*, quoiqu'il lui arrivât de les lire « avec un charme mélancolique et profond », la blessait : « Tout est nous et à nous là-dedans. (...) André, tu n'avais pas le droit de les écrire... Et ce premier essai – si plein de promesses du point de vue de l'Art – est une faute devant la Conscience. » Outre qu'elle voyait s'y confirmer tous les traits de caractère qui l'inquiétaient, elle sentait combien, désormais, la voie d'André Gide divergeait de la sienne. Se retranchant probablement derrière ses devoirs de sœur aînée devenue responsable de ses quatre cadets orphelins, un soir de janvier 1891 à Arcachon, elle se cabra dans un refus définitif... « Le beau fil magique est rompu », note-t-elle dans son Carnet, tandis que Gide, de son côté, recopie le vers de Verlaine : « L'espoir a fui, vaincu vers le ciel noir »...

Pourtant, le premier but de ce premier livre, *somme* de sa vingtième année, avait été de convaincre Madeleine, de la forcer à s'avouer ce qu'ils étaient l'un pour l'autre – ce qu'*il croyait* qu'ils étaient l'un pour l'autre... *Je protestai que je ne considérais pas son refus comme définitif, que j'acceptais d'attendre, que rien ne me ferait renoncer ;* près de cinq ans plus tard, en effet, André Walter épousa Emmanuèle – mais il n'était déjà plus André Walter, et elle, pas encore Emmanuèle ni Alissa...

Genèse d'André Walter

Le premier livre... On a raconté qu'un jour Gide dit à Paul Valéry : *Si je n'écrivais pas, je me tuerais.* De fait, sa vocation semble s'être tôt manifestée. Son goût pour l'analyse et pour l'introspection constituait évidemment un mouvement initial favorable à l'expression littéraire : qu'il s'agît de poésie lyrique et de journal intime, ou d'une création romanesque qui tirait beaucoup de son fonds personnel, c'était toujours l'aboutissement d'un exercice de lucidité qui d'une part aidait son auteur à dominer des situations conflictuelles mieux connues, et de l'autre jouait le rôle d'une véritable psychanalyse du sujet par lui-même. En un sens, l'écrivain n'était que le prolongement de l'enfant rêveur qui créait, par *besoin d'épaissir la vie,* un univers à sa convenance.

La lecture des poètes fut, pour l'André Gide de la quinzième année, un choc décisif, une impulsion féconde : Hugo, surtout, le plus rhétorique d'ailleurs, et de plus modernes : Richepin, de plus *décadents* : ces *Névroses* de Maurice Rollinat, auxquelles l'onctueux et fort sensible *M. Richard,* son précepteur des années 1883-86, le fit *vibrer comme un violon* dans sa petite orangerie de Passy. C'était mettre à rude épreuve les nerfs malades de l'enfant, mais c'était aussi étancher sa soif de poésie, qu'il satisfit plus tard de plus nobles lectures en mettant au pillage la *petite bibliothèque vitrée* de son père, lorsque enfin Mme Paul Gide, cédant aux arguments de son neveu Albert Démarest, en permit l'accès à son fils. M. Henry Bauer *(M. Richard)* lui fit aussi lire de la prose, et ce fut, malgré le peu de chaleur avec lequel il la rapporte dans ses Mémoires, une découverte capitale pour le jeune introverti : H.-F. Amiel. L'obscur professeur genevois était mort en 1881, mais deux ans plus tard avait commencé la publication, retentissante, des fragments de son Journal intime que Gide, guidé par son professeur, dévora, non sans réagir, bien sûr, mais *sensible au charme ambigu de cette préciosité morale* et indéniablement séduit par celui dont il devait se sentir parent ; dans un article de 1884, repris à la fin des *Essais de psychologie contemporaine*, et que Gide dut lire, Paul Bourget avait parlé d'Amiel en des termes, au demeurant d'une rare pénétration, qui conviendraient parfaitement à l'auteur d'*André Walter* : « Cet Hamlet protestant, malade d'hésitations comme l'autre et de scrupules tragiques... » Tout laisse croire que c'est fort peu de temps après sa découverte d'Amiel qu'André Gide commença de tenir son propre *Journal*, dont *maintes pages* furent *transcrites telles quelles* dans les *Cahiers d'André Walter*. Journal tout intime, dédaigneux de l'*histoire* et des *contingences*, attentif aux seuls mouvements d'une âme en proie à mille dialogues divers.

Ainsi naquit l'écrivain, penché comme Narcisse sur sa propre image, mais qui, illogique comme le Narcisse de Valéry, *parle*, veut se faire entendre, et a une très haute idée de la fonction d'écrivain ; deux artistes, dans la jeunesse de Gide, semblent lui avoir donné l'exemple fascinant de vies parfaitement vouées à l'art : Mallarmé, qu'il connut en février 1891, et déjà, quatre ans plus tôt, l'exquis professeur de piano, cousin de Leconte de Lisle, qu'animait parfois *une sorte de lyrisme, d'enthousiasme* et qui *devenait alors vraiment beau*, Marc de la Nux : *J'avais pour lui une sorte de vénération, d'affection respectueuse et craintive, semblable à celle que je ressentis un peu plus tard auprès de Mallarmé, et que je n'éprouvai jamais que pour eux deux. L'un comme l'autre réalisait à mes yeux, sous une de ses formes les plus rares, la sainteté.* C'est à cette sainteté d'artiste qu'aspira Gide lorsqu'il répondit à l'appel de sa vocation littéraire.

Une rencontre fut décisive dans ce choix : celle d'un condisciple à l'École Alsacienne, lorsque, après une interruption de près de sept années, pendant lesquelles il passa d'un précepteur à l'autre, au gré d'une fragile santé, il y rentra en classe de rhétorique, en octobre 1887. Pierre Louis (qui pour la gloire littéraire orthographia son nom *Louÿs*) était d'un an plus jeune qu'André Gide. Collégien doué, esthète désinvolte et sûr de lui, *très exubérant*, toujours premier en composition française : c'en était assez pour que, *déplorablement timide*, l'élève Gide, sentimental et amoureux, n'eût pas échangé vingt paroles avec lui jusqu'à ce jour de février 1888 où, rendant un devoir, le professeur de français, M. Dietz, commença : – Premier, Gide !... Louis daigna alors s'intéresser à ce rival, le surprit dans un coin de la cour de récréation en train de lire le *Buch der Lieder* de Heine, et, fondée sur un amour commun des lettres, une amitié commença. Gide s'essayait maladroitement, *à la manière de Sully Prudhomme*, à *traduire en vers* des pensées auxquelles il attachait *beaucoup trop d'importance* ; la muse de Pierre Louis, plus facile, lui inspirait, en cette année 1888, plusieurs milliers de vers. Lorsqu'en 1888-89, pour son année de philosophie (que Louis fit à Janson-de-Sailly, et Gide à Henri-IV puis, dès Noël, tout seul, sous le préceptorat de M. Lyon), ils se retrouvèrent plus avides que jamais de gloire littéraire, ce fut d'abord pour collaborer à un facétieux journal bi-mensuel, *Potache-Revue*, fondé par un lycéen neversois, autre ami à qui plus tard furent dédiées *les Nourritures terrestres :* Maurice Quillot ; faisaient également partie du groupe d'autres *philosophes* de Janson : Legrand et le futur beau-frère de Gide, Marcel Drouin ; en marge, d'autres amitiés commençaient : à Henri-IV, Gide avait fait la connaissance d'un jeune Juif à l'exquise finesse, pourvu de *trop d'intelligence et pas assez de personnalité*, qu'il retrouvera à *la Revue blanche*, Léon Blum. D'abord admirative, un peu écrasée même par la volumineuse et brillante personnalité du futur auteur d'*Aphrodite*, l'amitié de Gide pour Louis fut bientôt sensible à leurs tempéraments si différents ; les conseils, les louanges de Louis étaient souvent perfides, il se plaisait à larder de petites piques l'amour-propre et le caractère ombrageux du grave André Walter. Cinq ans après *les Cahiers*, ce fut la rupture, mais le départ pour la gloire, ils l'avaient pris dans une ferveur commune.

Le grand œuvre que projetait Gide dès son année de rhétorique et qu'il intitulait alors *Allain*, ne pouvait être plus éloigné et du tempérament et des goûts esthétiques de

En rhétorique, à l'École Alsacienne (1887-88).
A l'extrême-gauche, Gide, les mains posées sur les épaules de Pierre Louis.

Pierre Louis ; celui-ci fut pourtant le témoin et le conseiller de sa longue gestation, témoin plus clairvoyant peut-être que ne le laissent paraître ses lettres à Gide, où son goût des facéties et sa jalousie d'homme de lettres en herbe recouvrent souvent son amitié et sa confiance dans le génie de Gide – comme lorsqu'un soir de mars 1890, il lui écrit d'acheter et de lire « immédiatement » *Cruelle énigme* de Bourget, dont il souligne complaisamment les analogies avec le projet qu'André Walter jugeait d'une originalité si radicale ; ou que, fort innocemment, dans une autre lettre, il condamne avec mépris les « autobiographies prématurées »... ; ou qu'il détaille ses recettes personnelles de l'*autolançage* à un Gide qui certes désirait *passionnément* la gloire, mais dédaignait le succès qui, « tel qu'il est offert d'ordinaire, n'en est qu'une imitation frelatée ». Au reste, si son œuvre lui doit fort peu, c'est en revanche grâce à Louÿs que Gide fut introduit dans les milieux littéraires de son temps, grâce à Louÿs qu'il ose apporter ses *Cahiers*, l'encre encore fraîche, à Heredia : *j'avais besoin d'un entraîneur et crois bien que sans Louÿs, je n'aurais osé me présenter ni chez Mallarmé ni chez Heredia...*

Grâce à Louÿs, encore, pendant son année de rhétorique, Gide découvre Gœthe. Quarante-quatre ans plus tard, il entendait toujours *la voix de Louÿs, mouillée de larmes d'admiration et de tendresse*, lui lire, pour la première fois, en ce printemps 1888, le dialogue avec le Centaure du *Second Faust.* Quelle révélation ce pouvait être, pour le jeune puritain

Aux Mardis de la rue de Rome, chez Mallarmé, nous étions, Louis et moi, les plus jeunes.

*Pierre Louÿs et Henri de Régnier
(tableau de Jacques-Émile Blanche).*

déchiré qui écrivait *André Walter*, que *le monologue de Faust
à son réveil parmi la nature exultante, ces vers où la partici-
pation du monde extérieur paraît si active, que je compris tout
aussitôt, pour en prendre honte, que jusqu'alors (j'avais dix-
huit ans), je n'avais ouvert à Dieu que mon âme ; je compris
qu'à travers mes sens il pouvait aussi me parler...* Le futur
auteur des *Nourritures*, qui n'était encore qu'un jeune
homme mystique se débattant avec les impératifs de la
morale la plus austère, découvrait en Gœthe un libérateur,
l'*anti-mystique* en harmonie avec le monde sensible.

Il y puisait force et confiance, ainsi qu'une éthique de l'*équilibre* – car, loin d'admettre l'image d'un Gœthe serein, *impassible et souriant dans une région inaccessible aux orages*, il découvrait en lui un homme de dialogue, mais qui détenait le secret de son enrichissement : ... *J'aimais à retrouver dans la vie entière de Gœthe ces antagonismes qu'il maintenait en lui savamment, qui l'invitaient à ne trouver satisfaction que dans la lutte même, à ne point aspirer au repos, à n'en admettre point d'autre que celui même de la mort. Et c'est aussi parce qu'il savait que :*

> *Sur tous les sommets, le repos*

et parce qu'il ne voulait pas le repos mais la lutte, qu'il préférait aux sommets surhumains du sublime, aussi bien dans l'art que dans la vie, les mi-hauteurs ensoleillées où croissent le froment et la vigne, ce qui doit nourrir l'homme et ce qui peut l'enivrer. (...) Son but, s'il en eut un autre que celui de simplement vivre le plus possible, c'est la culture, non le bonheur.

Lorsqu'en 1942, septuagénaire, Gide écrira pour la « Bibliothèque de la Pléiade » son Introduction au *Théâtre* de Gœthe, il lui apparaîtra important de mettre plus que jamais en valeur son humanisme sans inquiétude ni pathétique, et sans transcendance aucune, lui étant reconnaissant d'avoir donné *le plus bel exemple, à la fois souriant et grave, de ce que, sans aucun secours de la Grâce, l'homme, de lui-même, peut obtenir ;* mais, un demi-siècle plus tôt, ce qu'il découvrait avec Pierre Louÿs dans le *Second Faust* et *Torquato Tasso*, c'était déjà une invitation à libérer tout son dynamisme intérieur, à s'offrir au monde, pour se mieux retrouver, se mieux ressaisir ensuite.

C'est en ce sens que la rencontre de Gœthe, grosse de ce qu'eut de plus spectaculaire l'évolution postérieure de Gide, fut plus importante, malgré le silence de *Si le grain ne meurt*, que celle, pendant l'année de philosophie (1888-89), de Schopenhauer, dont il lut pourtant *de part en part*, et *avec un ravissement indicible, le Monde comme représentation et comme volonté*. Certes, c'est à Schopenhauer, *et à lui seul*, qu'il dut son initiation philosophique ; mais, plus qu'une impulsion vers l'avenir, la lecture de Schopenhauer fut une révélation, une illumination sur son passé, sur sa sensibilité. C'est dans

Schopenhauer (mais dans Gœthe aussi) qu'il trouva le nom et la signification des *Schauderns* de son enfance ; c'est par lui qu'il expliquait et justifiait sa tendance à *déréaliser* le monde extérieur, à vouloir d'autant plus mépriser l'histoire qu'il se trouvait poète ; c'est de l'influence de Schopenhauer que relève ce qui s'est avéré le plus caduc dans *les Cahiers d'André Walter*...

Tel fut néanmoins le maître à penser que se choisit le jeune « philosophe » en 1888-89, se nourrissant au reste d'autres lectures très vastes, purement littéraires celles-là, comme en témoignent ses cahiers, minutieusement exploités par le professeur Delay : Flaubert (il entreprit même une *Nouvelle Éducation sentimentale*, dont un fragment devait ouvrir le premier tome des *Œuvres complètes*, en 1932), Balzac, les Goncourt, Zola, Barrès... Ajourné à la session de juillet, Gide passa en octobre son baccalauréat de philosophie et résolut de se lancer *tout aussitôt dans la carrière... : je me sentais dès lors étrangement libre, sans charges, sans soucis matériels – et j'imaginais mal, à cet âge, ce que pouvait être celui d'avoir à gagner sa vie*. Ainsi vacant, disponible, il pouvait se consacrer à *Allain ;* sur la trace de Louÿs, déjà il s'était répandu dans les salons littéraires parisiens. Tels les jeunes romantiques batailleurs de 1830, il soignait son personnage, son élégance excentrique, ses *cheveux impossibles* qui provoquaient *l'horrification des masses*, cet air de violoniste *douloureux* que lui voulait son cousin Albert Démarest, son portraitiste de 1889. Il entendait *paraître* ce qu'il se sentait *être* profondément, pour le *devenir*, selon la maxime pindarique ; mais à jouer ainsi son propre personnage, si sincère qu'il fût, il se faisait une réputation de comédien.

Depuis que j'avais posé pour Albert (il venait d'achever mon portrait), je m'occupais beaucoup de mon personnage ; le souci de paraître précisément ce que je sentais que j'étais, ce que je voulais être : un artiste, allait jusqu'à m'empêcher d'être, et faisait de moi ce que l'on appelle : un poseur. Dans le miroir d'un petit bureau-secrétaire, hérité d'Anna, que ma mère avait mis dans ma chambre et sur lequel je travaillais, je contemplais mes traits, inlassablement, les étudiais, les éduquais comme un acteur,

*Gide chez Albert Démarest, 1890 :
comme Narcisse je me penchais sur mon image...*

*et cherchais sur mes lèvres, dans mes regards, l'expression de
toutes les passions que je souhaitais d'éprouver. Surtout j'aurais
voulu me faire aimer ; je donnais mon âme en échange. En ce
temps, je ne pouvais écrire, et j'allais presque dire : penser,
me semblait-il, qu'en face de ce petit miroir ; pour prendre connaissance de mon émoi, de ma pensée, il me semblait que, dans mes
yeux, il me fallait d'abord les lire. Comme Narcisse, je me penchais
sur mon image ; toutes les phrases que j'écrivais alors en restent
quelque peu courbées.*

Jugement sévère, *a posteriori*, qu'étaient assurément loin
d'avoir la plupart de ceux qui formaient les cénacles, les
salons où, peu à peu, et surtout après la sortie des *Cahiers*,
Gide faisait figure – chez Mallarmé (que Barrès lui fit rencontrer en février 1891, et qui représentait alors pour l'ancien
hugolâtre la perfection de l'idéal poétique...), chez Heredia,
chez Robert de Bonnières, chez Madame Beulé, chez la
princesse Ouroussof... Si l'on essaye d'imaginer dans quelle
effervescence poétique vivaient les milieux littéraires de cette
fin de siècle, si l'on se rappelle les mille et un produits, plus
ou moins éphémères, de l'héritage de Hugo et de Baudelaire,
les manifestes aussi révolutionnaires qu'hebdomadaires,
auxquels *le Figaro* accordait une généreuse hospitalité, on
concevra combien ce pouvait être stimulant pour une jeune
inspiration.

Autre amitié précieuse, que Gide dut à Louÿs, et que la
mort seule interrompra quelque cinquante années plus
tard : celle d'un jeune homme de dix-neuf ans, faisant alors
son service militaire à Montpellier, que Louÿs rencontra le
20 mai 1890 à l'occasion des fêtes du VIᵉ centenaire de
l'Université de cette ville, et pour qui il se sentit immédiatement « une amitié profonde », le présentant ainsi à Gide :
« Paul Valéry, un petit Montpelliérain qui m'a parlé de la
Tentation et de Huysmans, de Verlaine et de Mallarmé en des
termes... tu sais, celui-là, je te le recommande. » Lorsque,
au moment même où *les Cahiers d'André Walter* sortaient
des presses, à la mi-décembre, Gide fit le voyage de Montpellier et rencontra enfin Paul-Ambroise Valéry, qui occupait
depuis six mois déjà une énorme place dans sa correspondance

Le petit Montpelliérain

avec Louÿs, ce fut un enthousiasme égal et réciproque :
« Je suis, mon cher, écrit Valéry à Louÿs, dans l'extase et
le ravissement de votre ami Gide. Quel exquis et rare
esprit, quel enthousiasme des belles rimes et des pures idées ! »
Ils connurent d'inoubliables moments, dans la chambre de
Valéry, *l'infâme capharnaüm* où il fumait *tant de cigarettes
sous prétexte de travailler*, dans celle que Gide avait prise dans
un hôtel sordide de la rue Urbain-V, *provinciale et moisie, avec
ses herbes le long des murs et le soir plein d'angélus voisins...*,
ou dans leurs promenades autour de la vieille cathédrale,
sur le Peyrou – le souvenir suave en revivra au troisième
livre des *Nourritures terrestres*... Quand Gide, vers Noël,
quitta Montpellier et, après quelques jours passés à Arcachon près de sa mère et près de Madeleine (à qui il offrit
un exemplaire, spécialement imprimé pour elle sur chine,
des *Cahiers*), retrouva Paris, ce fut pour entamer avec Valéry
une correspondance qu'il voulait entre toutes exquise.
Sa première lettre, écrite pour *soigner l'intimité naissante du
doux ami* qu'il avait découvert, cherche à déterminer la fine
nuance de leurs sentiments ; elle constitue même un document
historique, significatif d'une certaine sensibilité symboliste,
précieuse, à la limite du dilettantisme décadent, évoquant
une sorte de Des Esseintes ou le barrésien « amateur d'âmes » :

*J'aimerais (si cette correspondance ne doit avoir pour conclu-
sion que votre heureuse arrivée dans Paris) – j'aimerais qu'elle
ait certaine unité, certaine teinte fixe, certaine originalité stable,
qui lui donne une saveur toute spéciale ; j'aimerais enfin dire
avec vous ce que je ne puis pas dire avec d'autres et que pour vous
il en soit de même. Par exemple, comme il me semble vous me le
proposez, chacune de ces lettres serait quelque subtil paysage
d'âme, plein de frissonnantes demi-teintes et de délicates analogies
s'éveillant comme des échos aux vibrations des harmoniques ; –
quelque spécieuse vision, que suivraient, doucement découlées,
les déductions de nos rêves. Et ces sortes de confidences nous révé-
leraient bizarrement et délicieusement l'un à l'autre, en apprenant à l'un comment chez l'autre s'associent ces frêles images...*

Entre Gide et Valéry, la maturité viendra éclairer de profondes
différences, sans d'ailleurs entamer leur amitié, qui se décan-

tera des afféteries d'un sentimentalisme adolescent ; et le contraste de leurs deux vocations se manifestera surtout après qu'au cours d'une nuit d'octobre 1892, à Gênes, Valéry aura eu la révélation d'une Évidence où il puisera la force de renoncer à la littérature... Mais, à l'époque des *Cahiers*, leur ferveur est égale et se mêle. L'amitié de Valéry fut sans doute pour le jeune Gide l'encouragement le plus puissant, l'apport de sève le plus vivant de cette bouillonnante période.

Pourtant, lorsqu'au printemps 1890 Gide avait senti venu, pour son *roman*, le temps de la rédaction définitive, il avait voulu s'éloigner du tumulte parisien, même littéraire. Il alla s'installer dans trois pièces d'un petit chalet de Menthon-Saint-Bernard, au bord du lac d'Annecy. Tout lui paraît y concourir à susciter en lui l'état de grâce nécessaire à l'accouchement du Livre : l'austère grandeur du paysage, l'ascèse de la solitude, deux voisinages qui le font vibrer d'émotion – deux rencontres qu'il désire, mais qu'il se refusera, autant par timidité que pour jouir de l'émotion raffinée que procure le renoncement : voisinages de M. Hippolyte Taine et de... la Grande Chartreuse. Aussi bien, dès ce premier livre, certains sauront déceler un trait essentiel de la psychologie et de l'esthétique gidiennes en lisant de telles pages, dans le *Cahier noir* d'André Walter : *Quand, la première fois, je suis parti pour voir la Chartreuse, la grande, – j'ai longtemps erré, tout auprès, sur la route de Saint-Laurent à Saint-Pierre ; je regardais sans cesse le repli de vallée où je la savais enfoncée, invisible, et le chemin pour y mener – mais je ne m'en suis pas approché, par crainte de déflorer peut-être un rêve si longtemps choyé. Le soir j'ai redescendu la route ; je suis reparti, délicieusement triste, rêveur plus que jamais.*

Oh ! l'émotion, quand on n'a plus qu'à toucher – et qu'on passe...

Juif-Errant ! (...)

Oh ! que l'amertume est douce du regret des choses que l'on n'a pas connues ! –

Ainsi, les sollicitations extérieures mêmes, auxquelles il se dérobe, fournissent matière à Gide. Tout passe dans sa

« somme », fort avancée lorsqu'il quitte la Savoie au début de juillet – puisque, moins de deux mois plus tard, à La Roque, le livre est achevé. Il rentre à Paris pour en faire lecture à son cousin Démarest, qui suggère, sinon des modifications, du moins quelques coupures : *Albert (...), raconte-t-il dans Si le grain ne meurt, fut consterné par l'intempérance de mon piétisme et par l'abondance des citations de l'Écriture. On peut juger de cette abondance par ce qu'il en reste encore après que, sur ses conseils, j'en eus supprimé les deux tiers.* Le 20 octobre, il donne son livre à Perrin, *l'éditeur de l'Homme libre ;* un mois après, il en corrige les épreuves. Pierre Louis avait signé *P. C.* (Pierre Chrysis) une brève notice donnant un caractère posthume à ces cahiers présentés comme ceux d'un poète, né d'un père saxon et d'une mère bretonne, et mort à dix-neuf ans.

« Un roman, c'est un théorème »

Dans *André Walter* confluaient donc l'ambition littéraire de Gide et sa recherche d'une issue à son problème intime : ce premier livre était à la fois *une longue déclaration, une profession d'amour (... je la rêvais si noble, si pathétique, si péremptoire, qu'à la suite de sa publication nos parents ne pussent plus s'opposer à notre mariage, ni Emmanuèle me refuser sa main)* et un ouvrage si important, qui, pensait-il, *répondait à un tel besoin de l'époque, à une si précise réclamation du public, que je m'étonnais même si quelque autre n'allait pas s'aviser de l'écrire, de le faire paraître, vite, avant moi.* Il n'en fut rien : le succès fut nul, et les 190 exemplaires de l'édition de luxe parue à la Librairie de l'Art Indépendant (l'édition courante de Perrin, constellée de coquilles, ayant été presque entièrement mise au pilon par l'auteur lui-même) suffirent aux amateurs... jusqu'à la réimpression de 1925. Gide commençait une longue carrière d'auteur louangé par les élites, mais invendable...

Tant dans ses Mémoires que dans la préface qu'il écrivit en 1930 pour une réédition des *Cahiers* et des *Poésies d'André*

Walter, Gide s'est montré fort sévère pour ce livre, qu'il ne rouvrait pas *sans souffrance et même mortification ;* le style lui en était insupportable : *Je cherchais à plier la langue : je n'avais pas encore compris combien on apprend plus en se pliant à elle...* Et de fait, si, à y regarder de près, le style des *Cahiers* annonce ce qui sera plus tard une des plus belles proses françaises, souple et irréfutable, comme il apparaît d'abord alangui, hésitant, *complaisant*, – prose poétique d'adolescent, pleine d'alexandrins inavoués et de vagues pluriels d'abstraits... Même le dessin général du livre a pu sembler flou, inconsistant ; Gide, pourtant, n'avait rien moins souhaité qu'une œuvre lâchement structurée, poussant même au paradoxe son désir de netteté : *Non point une vérité de réalisme, contingente fatalement ; mais une vérité théorique, absolue (du moins humainement). Idéale, oui ! comme définit Taine : c'est-à-dire où l'Idée apparaisse toute pure. Il faut la faire saillir de l'œuvre. C'est une démonstration. Donc les lignes simples, – l'ordonnance schématique. Réduire tout à* L'ESSENTIEL. *L'action déterminée, rigoureuse. (...) L'ordonnance de Spinoza pour l'Éthique, la transposer dans le Roman ! les lignes géométriques. Un roman, c'est un théorème.* Le *roman* d'André Walter se développe en effet suivant le schéma rigoureux d'une expérience scientifique, et l'indécision de ses contours n'est qu'apparence.

Le rapport André Walter-Emmanuèle étant en tous points semblable à la relation amoureuse existant entre André Gide et Madeleine Rondeaux, l'hypothèse de départ de cette *expérience* est l'acceptation de l'obstacle mis par Mme Paul Gide à leur mariage : « Votre affection est fraternelle... », argument mis dramatiquement sur les lèvres de la mère de Walter à son lit de mort. Cela posé, telle une réaction chimique la situation se développe selon sa logique propre, jusqu'au terme, *découlant comme une déduction nécessaire, comme une conclusion des prémisses une fois posées.* André Walter, ayant renoncé, par obéissance, au mariage avec Emmanuèle, est inéluctablement conduit à la folie, puis à la mort : C.Q.F.D. Telle est la structure du livre, épousant le mouvement de la vie, – le *Cahier blanc* nourri des souvenirs, des fragments du journal intime de Walter antérieurs à la mort de sa mère et au mariage d'Emmanuèle avec T***, le *Cahier noir*, plus pathétique, reflétant l'approche précipitée de la folie. Cependant qu'autour de la démonstration du théorème, comme chair autour de l'os, venaient palpiter tous les secrets, tous les tourments, toutes les questions que se posait Gide... Renonçant à Emmanuèle, André Walter croit accéder à la plus pure réalisation de son amour – mais la description de cet angélisme ne dut pas laisser d'inquiéter Madeleine ; car, développant sa thèse, Gide se découvrait la prescience de ce à quoi le conduirait son mépris du corps, des *possessions charnelles* qui tant l'épouvantaient. Dans le *Cahier noir*, écrit tout entier au printemps exalté de 1890, la chasteté se révèle impossible et trompeuse ; *que vais-je devenir, mon Seigneur, si le printemps ainsi m'agite ?* Sa chair se trouble et *c'est la seule force de la pesanteur, quod pulvis est, qui ravale l'essor de l'ange.*

Tout se dessine.

Aimer par l'âme seule une âme qui vous aime de même, et que les deux, devenues si pareilles par une lente éducation, se soient connues jusqu'à se confondre. Elles n'auront besoin d'abord pour se parler que d'un langage tacite ; le corps les gênera plutôt, car il aura d'autres désirs. (...)

L'esprit seul est vivace, la chair ne sert de rien :

Τὸ πνεῦμά ἐστι τὸ ζωοποιοῦν, ἡ σάρξ, οὐκ ὠφελεῖ οὐδέν. *Elle meurt ; donc il la possède... Oui, mais Allain vit encore : il demande le surhumain, la chair se vengera. Son âme désirera des communions toujours plus étroites, mais le corps la désolera par l'inquiet désir d'embrasser – et plus son vol sera sublime, et plus la chair l'avilira.*

Ces *autres désirs*, Gide, à l'époque des *Cahiers*, en ignorait encore la nature ; et ce qui était leur substitut était fort loin d'être explicitement avoué :

Mon éducation puritaine avait fait un monstre des revendications de la chair ; comment eussé-je compris, en ce temps, que ma nature se dérobait à la solution la plus généralement admise, autant que mon puritanisme la réprouvait. Cependant l'état de chasteté, force était de m'en persuader, restait insidieux et précaire ; tout autre échappement m'étant refusé, je retombais dans le vice de ma première enfance et me désespérais à neuf

André Walter

chaque fois que j'y retombais. Avec beaucoup d'amour, de musique, de métaphysique et de poésie, c'était le sujet de mon livre.

Gide se trahissait : déversant tout dans sa *somme*, il montrait que *les prémisses* du problème n'étaient pas aussi simples qu'il les avait conçues, et que la démonstration, si on la suit de près, ne prouve rien. Car si André Walter meurt fou pour avoir renoncé à Emmanuèle, que fût-il advenu de lui, s'il l'eût épousée ? L'inquiétude de sa chair ne se fût pas apaisée, et il n'eût pas davantage désiré Emmanuèle. C'eût été le même écartèlement, la même dissociation des extases de l'âme et des ardeurs du corps. Au reste, qu'est-ce donc que ce *traité du vain désir* écrit par Gide deux ans plus tard, sinon la démonstration d'un autre théorème, complémentaire de celui d'*André Walter* : le couple de *la Tentative amoureuse*, lui, connaît l'amour dans sa totalité spirituelle et physique. Luc a rencontré Rachel qui cueillait des fleurs ; il lui a offert ses propres trouvailles, *les fleurs sombres des bois*, et ils sont rentrés tous deux en se tenant par la main... Après un jour passé *dans les jeux et les rires, toute la nuit Luc désira Rachel. Au matin il courut vers elle.*

Une allée de lilas menait à sa demeure ; puis c'était un jardin plein de roses, enclos d'une barrière basse ; dès l'abord, Luc entendit Rachel chanter. Il resta jusqu'au soir, puis il revint le lendemain ; – il revint chaque jour ; à l'éveil il partait ; dans le jardin, Rachel attendait souriante.

Des jours passèrent ; Luc n'osait rien ; Rachel se livra la première. – Un matin, ne l'ayant pas trouvée sous la charmille accoutumée, Luc décida de monter à sa chambre. Rachel était assise sur le lit, les cheveux défaits, presque nue, couverte seulement d'un châle déjà presque tout retombé ; certes elle attendait. Luc arriva, rougit, sourit, – mais ayant vu ses jambes exquises si frêles, il y sentit une fragilité, et s'étant agenouillé devant elle, il baisa ses pieds délicats, puis ramena le pan du châle.

Luc souhaitait l'amour mais s'effrayait de la possession charnelle comme d'une chose meurtrie. Triste éducation que nous eûmes, qui nous fit pressentir sanglotante et navrée, ou bien morose et solitaire, la volupté pourtant glorieuse et sereine. Nous ne demanderons plus à Dieu, de nous élever au bonheur. – Puis, non ! Luc n'était pas ainsi ; car c'est une dérisoire manie que de faire toujours pareil à soi, qui l'on invente. – Donc Luc posséda cette femme.

Comment dirai-je leur joie, à présent, sinon en racontant, autour d'eux, la nature pareille, joyeuse aussi, participante. Leurs pensées n'étaient plus importantes : ne s'occupant que d'être heureux, leurs questions étaient des souhaits, et des assouvissements les réponses. Ils apprenaient les confidences de la chair et leur intimité devenait chaque jour plus secrète.

Quoique peinte avec une infinie délicatesse, cette joie ne dure pas, et l'auteur, qui écrit son apologue pour celle qu'il appelle seulement *Madame*, lui énonce le résultat de l'*expérience* :

Cette histoire est pour vous : j'y ai cherché ce que donne l'amour ; si je n'ai trouvé que l'ennui, c'est ma faute : vous m'aviez désappris d'être heureux. (...) Tant pis pour eux, Luc et Rachel s'aimèrent ; pour l'unité de mon récit, ils ne firent même rien d'autre ; ils ne connurent de l'ennui que celui même du bonheur. (...) Ils n'écartaient pas le désir pour une poursuite plus lointaine, et goûtaient peu les langueurs de l'attente. Ils ignoraient ce geste qui repousse cela même qu'on voudrait étreindre, — comme nous faisions, ah ! Madame – par la crainte de posséder et par amour du pathétique.

Outre qu'il complète ainsi la leçon d'*André Walter*, ce conte tout symbolique est d'ailleurs intéressant en ce que, écrit quelques semaines avant son premier départ pour l'Afrique du Nord, il nous montre un Gide plus sûr de lui, plus lucidement attaché, semble-t-il, à son option angélique.

Pourtant, malgré l'impertinent petit dialogue où, à Rachel demandant : *N'êtes-vous pas toute ma vie ?*, Luc ose répondre : – *Mais vous, Rachel, vous n'êtes pas toute la mienne. Il y a d'autres choses encore –*, malgré ce ton désinvolte d'appel aux *Nourritures*, Madeleine demeurait le véritable orient de la vie d'André, et il ne renonçait pas à son projet de mariage ; mais quel mariage ? Déjà il l'avait comparée, dans les *Cahiers*, à la Béatrice de Dante, « fior gittando di sopra e d'intorno », évoquant, parmi d'autres, cet illustre exemple d'amour platonique. On a pu voir en Gide l'héritier des troubadours, de l'amour courtois, de Tristan ; lui-même y invitait, qui confia à plusieurs l'illumination que fut pour lui la lecture du beau livre de Denis de Rougemont, *l'Amour et l'Occident*. L'amant des chansons de troubadours est plus amoureux de son amour que de sa Dame ; à la *réalisation* de son amour, il préfère l'insatisfaction, l'attente indéfinie, les obstacles sans cesse renouvelés : « Cela n'est plus amour, qui tourne à la réalité », disait Fauriel. Or, si Gide ne *préférait* évidemment pas que son amour fût contrarié, il en rejetait la *réalité* charnelle, et ce d'autant plus que plus grande était sa passion. Comme l'avaient été un Jean-Jacques devant Mme de Warens et Sophie d'Houdetot, un Stendhal auprès des femmes aimées, il est inhibé, dans son activité sexuelle, par l'intensité spirituelle même de son amour. C'est pour André Walter, semble-t-il, que Stendhal avait écrit, au chapitre *des Fiasco* de son essai sur l'amour : « Plus un homme est éperdument amoureux, plus grande est la violence qu'il est obligé de se faire pour oser toucher aussi familièrement, et risquer de fâcher un être qui, pour lui, semblable à la Divinité, lui inspire à la fois l'extrême amour et le respect extrême. » Nous remontons ainsi à ce qui, au-delà de l'impuissance de Gide, en est la cause : son éducation puritaine, assimilant la chair au péché, et responsable d'une inhibition qui se manifestait dès que ce qui eût pu être l'objet d'un désir était aussi l'objet d'un amour, d'un intérêt spirituel. L'impuissance de Gide n'était en effet pas absolue : *car je sus bien, par ailleurs,* dit-il dans *Et nunc manet in te, prouver que je n'étais pas incapable d'élan (je parle de l'élan qui procrée), mais à condition que rien d'intellectuel ou de sentimental ne s'y mêlât.* La dissociation du cœur et des sens, principe de vie, ne fut qu'une conséquence ; et conséquence seconde, encore, allait être bientôt la fixation pédérastique de sa sexualité. Une femme aimée, respectée, c'eût été l'avilir que de la désirer ; les sens devaient quêter ailleurs leur satisfaction naturelle, et en somme Gide ne dépassa guère le stade infantile de l'auto-érotisme narcissique en pratiquant, sous le nom de pédérastie, une sorte d'onanisme à deux. Mais il peut être intéressant de noter dès maintenant que l'identification ayant été faite dans son enfance entre la Femme et la pureté angélique, lorsqu'il pourra, au moins une fois dans sa vie, faire de l'être qu'il *aimait* un partenaire érotique, c'est qu'il s'agira de Marc Allégret, un adolescent. Tout cela était en germe dans les premières œuvres *démonstratives* de Gide, dans les *Cahiers*, dans *la Tentative amoureuse...*

Exorcismes

On aura remarqué les deux couples mis en scène dans *la Tentative amoureuse* : celui que forment Luc et Rachel, et l'autre : l'auteur et *Madame*, celle à qui il raconte l'histoire symbolique de Rachel et de Luc (qui, lui aussi, raconte à Rachel de symboliques histoires...). De même, André Gide avait fait vivre son drame à André Walter, lequel poussait devant lui, comme une expérience à l'intérieur de l'expérience, le héros de son roman, à lui Walter, Allain. Bien sûr, on peut voir là, surtout dans le petit *traité* de 1893, la subtile figure de ce qu'est le jeu de la création littéraire. Mais il y a davantage.

L'*Andréwaltérisme*, tourment dramatique d'un *Hamlet protestant*, est un état d'âme inconfortable. Au temps où il concevait son premier livre, Gide pouvait désespérer d'y échapper :

Je ne parvenais pas à le considérer comme le premier de ma carrière, mais comme un livre unique, et n'imaginais rien au-delà ; il me semblait qu'il devait consumer ma substance ; après, c'était la mort, la folie, je ne sais quoi de vide et d'affreux vers quoi je précipitais avec moi mon héros. Et je n'aurais plus su dire bientôt qui de nous deux guidait l'autre, car si rien n'appartenait à lui que je ne pressentisse d'abord et dont je ne fisse pour ainsi dire l'essai en moi-même, souvent aussi, poussant ce double en avant de moi, je m'aventurais à sa suite, et c'est dans sa folie que je m'apprêtais à sombrer.

Il n'en fut rien : avec la création de ce double, commençait la libération, l'*exorcisation* du mal d'André Walter par le malade lui-même. En faisant vivre par un autre ce qui n'était en lui que virtuel, comme une tentation qui s'enkystait, ou comme une folie qui couvait, il s'en débarrassait ; Walter était bien mort. Gide appelait *un livre manqué celui qui laisse intact le lecteur* ; mais son auteur ? Il n'en sortait pas intact, et le sentait de reste, puisque écrivant en août 1893, à La Roque où il achevait *la Tentative* :

J'ai voulu indiquer, dans cette Tentative amoureuse, *l'influence du livre sur celui qui l'écrit, et pendant cette écriture même. Car en sortant de nous, il nous change, il modifie la marche de notre vie... Nos actes ont sur nous une rétroaction. « Nos actions agissent sur nous autant que nous agissons sur elles »,* dit George Eliot. (...)

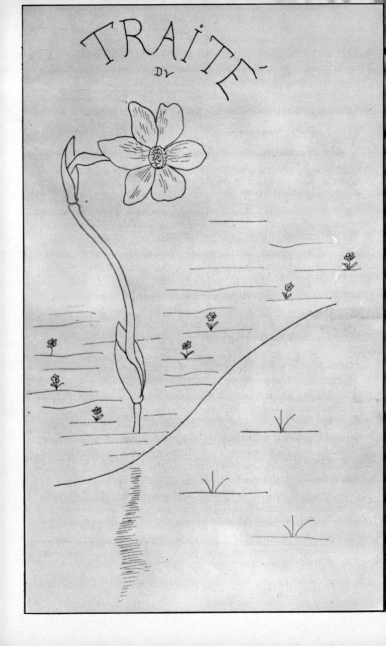

TRAITÉ
DV

Luc et Rachel aussi veulent réaliser leur désir ; mais, tandis que, écrivant le mien, je le réalisai d'une manière idéale, eux, rêvant à ce parc, dont ils ne voyaient que les grilles, veulent y pénétrer matériellement ; ils n'en éprouvent aucune joie. J'aime assez qu'en une œuvre d'art, on retrouve ainsi transposé, à l'échelle des personnages, le sujet même de cette œuvre. (...) Ce qui dirait mieux ce que j'ai voulu dans mes Cahiers, *dans mon* Narcisse *et dans* la Tentative, *c'est la comparaison avec ce procédé du blason qui consiste, dans le premier, à en mettre un second « en abyme ».*

Car ce *Traité du Narcisse*, composé dans l'été qui suivit les *Cahiers*, est également une expression, une élucidation d'André Walter, qui transforme Walter lui-même. Dès avant sa retraite à Menthon, Gide le projetait ; en décembre 1890, il en avait parlé à Valéry, rêvant avec son nouvel ami, au jardin botanique de Montpellier, *sur une tombe ancienne, qui est tout entourée de cyprès* et qu'une tradition attribuait à la fille d'Arthur Young : ils y lisaient l'inscription *Placandis Narcissæ Manibus...* C'est à Valéry que Gide dédia son *Traité*.

Narcisse a une double importance : d'une part, de la même façon que les *Cahiers* avaient libéré leur auteur de sa folie, ce conte *dédramatise* le problème moral de Walter en lui donnant une résolution *esthétique ;* d'autre part, il explicite par le mythe la conception de l'âme-sœur qui donnait aux *Cahiers* une si étrange couleur. Symboliste au point que Gide, non sans raison, voulait en faire le livre-code de l'École, cette œuvre l'était tout indépendamment de l'histoire littéraire : la *théorie du symbole* (c'est son sous-titre) était l'issue d'une situation personnelle. Tel Narcisse lassé de contempler les formes qui passent, toujours les mêmes, dans le fleuve du temps, et Adam saisissant enfin *un rameau d'Ygdrasil*, l'arbre de la connaissance, et le brisant *entre ses doigts infatués* pour se connaître, pour savoir sa puissance, – le jeune Walter, condamné au narcissisme et douloureusement privé du sens de la réalité, trouve dans la *création* poétique le moyen de s'affirmer ; il se *manifeste* :

Le Poète pieux contemple ; il se penche sur les symboles, et silencieux descend profondément au cœur des choses, – et

uverture *(dessinée par Louÿs) de l'originale du* Traité du Narcisse *(1891).*

quand il a perçu, visionnaire, l'Idée, l'intime Nombre harmonieux de son Être, qui soutient la forme imparfaite, il la saisit, puis, insoucieux de cette forme transitoire qui la revêtait dans le temps, il sait lui redonner une forme éternelle, sa Forme véritable enfin, et fatale, – paradisiaque et cristalline.

Ce n'est donc plus la sincérité qui préoccupe Walter, mais sa vérité d'artiste, et le souci de la forme esthétique est pour lui une façon de recouvrer le Paradis perdu. De même, le mythe revu et corrigé par Gide trahit ce qu'il y a de nostalgie de l'Éden dans son angélisme : un Éden où Narcisse est sans Écho, où Adam est seul, avant la création d'Ève, avant que son fatal geste n'ait suscité en lui une inquiétude nouvelle : *... Et l'Homme épouvanté, androgyne qui se dédouble, a pleuré d'angoisse et d'horreur, sentant, avec un sexe neuf, sourdre en lui l'inquiet désir pour cette moitié de lui presque pareille, cette femme tout à coup surgie, là, qu'il embrasse, dont il voudrait se ressaisir...* C'est cette part de lui-même, arrachée depuis le Paradis, qu'il recherche – être tout semblable, âme-sœur qui se fondra dans la sienne : son amour est aspiration à l'intégrité, à la complétude.

Le bref recueil des *Poésies d'André Walter*, écrites durant le même été que *Narcisse*, et *le Voyage d'Urien* (1892) représentent une démarche toute différente, pour le même rejet de l'andréwaltérisme. L'exorcisation revêt une double forme : l'une, positive, est *expression* du mal d'André Walter ; l'autre, négative ou critique, en est la *satire*. Gide fait, dans les quelques mois qui suivent l'achèvement de son premier livre, une découverte capitale pour toute la suite de sa carrière littéraire : celle de *l'ironie*, tournée de préférence contre lui-même (au point qu'on peut se demander d'abord si l'auteur des *Poésies* est bien le même que celui des *Cahiers*). Rien de plus inattendu, voire de plus choquant pour le lecteur d'*André Walter* que de lire ces poèmes secs, froids et désinvoltes qui ridiculisent les langueurs et le mysticisme romantique des *Cahiers*. Gide manifestait là pour la première fois *cette diversité d'humeur qui le force, aussitôt délivré d'un livre, de bondir à l'autre extrémité de lui-même (par besoin d'équilibre aussi) et d'écrire précisément le moins capable de*

LE

VOYAGE D'URIEN

M DCCC XCIII

*Couverture de l'édition originale, illustrée
par Maurice Denis, du* Voyage d'Urien.

plaire aux lecteurs que le précédent lui *avait acquis.* Principe
d'alternance, mais aussi de contradiction, d'autocritique,
de *dialogue*, bien propre *à l'insaisissable Protée...*

Et puis, après le refus de Madeleine, à Arcachon, cette
crise d'ironie, de détachement par rapport à lui-même, par
rapport à ce qu'il avait de plus cher, n'est-elle pas mouvement de *dépit* ? N'y a-t-il pas quelque amertume, encore
qu'esthétiquement dominée, dans cette première strophe
des *Poésies* (Walter eût-il dit *ma chère*, s'adressant à Emmanuèle ?...) :

Il n'y a pas eu de printemps cette année, ma chère ;
Pas de chants sous les fleurs et pas de fleurs légères,
Ni d'Avril, ni de rires et ni de métamorphoses ;
Nous n'aurons pas tressé de guirlandes de roses.

ou dans ces vers qui ferment le recueil :

Tu m'as dit :
Je crois que nous vivons dans le rêve d'un autre
Et que c'est pour cela que nous sommes si soumis.
Ça ne peut pas durer toujours comme ça.
Je crois que ce que nous aurions de mieux à faire
Ce serait de tâcher de nous rendormir.

La description du paysage de son âme, sous le ton badin et aigrelet, est manifestement une tentative pour s'en déprendre :

POLDERS

Un petit mouton se promène
Dans une lamentable plaine.

Un ciel gris ; de la vase verte,
Et de l'herbe vert-de-grisée ;
Des brebis, qui paissent, désertes,
Sur les flots de l'eau irisée.

Un soleil qui se décolore
Au ras de l'horizon flétri,
Et notre tristesse s'éplore
En des lignes qu'elle n'a pas apprises.

L'eau somnolente qui s'égoutte,
S'écoute couler. Un mouton
Qui, sans lever la tête, broute
Entre les bancs de vase verte...

Amoureux, l'André Walter des *Poésies* se sent mal engagé, sa *pauvre âme* s'égare, pleine de la nostalgie d'une enfance harmonieuse et heureuse – avant les déchirements et les dédoublements de l'adolescence *(Ah ! que ne puis-je être celui, Celui qui put vendre son ombre...).* Déjà s'enfuient le goût du mysticisme, l'attachement à sa terre de *prières* et de *larmes;* il aspire à d'autres paysages – et ici l'ironie disparaît :

> *Montagnes ! de vos cimes l'on voyait d'autres montagnes*
> *Lointaines et baignant dans une lumière d'azur,*
> *Des plaines blondes et des campagnes illuminées*
> *Où nous n'irions pas ; tout un pays pâle et pur.*
>
> *Nos yeux extasiés s'abreuveront de vos lumières*
> *Célestes, plaines blondes où nous ne cheminerons pas !*
> *Avant de redescendre vers la terre de prières,*
> *Vers notre terre de larmes, où soufflent les bourrasques.*

Plus ironique, mais plus significatif encore est le *Voyage d'Urien*, bien près d'être une *sotie* dans le style de *Paludes*. Il s'agit à la fois d'une *Odyssée* et d'une *Quête du Graal* : itinéraire tout symbolique, c'est l'histoire d'une libération, rythmée en trois étapes : le voyage sur l'Océan Pathétique et ses Iles chimériques, qui figurent autant de tentations, de *désirs* spécieux ; la mer des Sargasses, aux *rives ternes, vert-de-grisées, si pareilles incessamment,* le vain Ennui qu'Ellis, la compagne un tantinet farfelue d'Urien, semble ignorer en lisant d'austères philosophes, l'Ennui qui fait rentrer en soi et pousse à l'introspection ; et enfin le *voyage sur une Mer Glaciale,* chez les Esquimaux, laids, petits, sans tendresse ni volupté, *et leur joie est théologique* : c'est le pays ténébreux et glacial de la morale puritaine où, *sur trois maigres points posés ils déduisent une métaphysique ;* alors, raconte Urien, *nous avions vu dans les îles tièdes la peste ; près des marais les maladies de langueur. Une maladie maintenant naissait de l'absence même des voluptés.* Enfin, seuls Urien et sept de ses compagnons, de dix-neuf qu'ils étaient au *Prélude,* parviennent au terme du voyage : pris dans une épaisse paroi de glace où sont gravés les mots : HIC DESPERATVS, un cadavre est couché, qui tient un papier d'une main : mais ce papier est complètement blanc... Sur quoi s'achève le *voyage du rien... Si nous avions su d'abord que c'était cela que nous étions venus voir, peut-être ne nous serions-nous pas mis en route ;*

*aussi nous avons remercié Dieu de nous avoir caché le but,
et de l'avoir à ce point reculé que les efforts faits pour l'atteindre
nous donnassent déjà quelque joie, seule sûre ; (...) ayant
satisfait notre orgueil et sentant que de nous ne dépendait plus
l'accomplissement des destinées, nous attendions maintenant
que les choses, autour, nous devinssent un peu plus fidèles.
Et nous étant encore agenouillés, nous avons cherché sur l'eau
noire le reflet du ciel que Je rêve.*

Ainsi, plus d'un an avant le vrai départ, sur le mode ironique qui en fait une satire des procédés symbolistes, *le
Voyage d'Urien* préfigure la libération, le résultat d'un long
effort pour exorciser son andréwaltérisme, c'est-à-dire les
conflits insolubles hérités de l'enfance.

Emmanuèle, Ellis...

Dans quelques exemplaires de l'édition originale des
Cahiers d'André Walter, Gide avait fait imprimer le prénom
de Madeleine à la place d'*Emmanuèle*. Et, dans l'esprit
du jeune homme sinon dans la réalité, celle-ci était bien
l'image fidèle de celle-là. Il n'en va pas de même pour l'héroïne
du *Voyage d'Urien*, l'évanescente Ellis, douce caricature
qu'il est impossible d'assimiler à celle qui allait devenir
Madame André Gide.

Pourtant, de l'Emmanuèle des *Cahiers* à celle des *Poésies
d'André Walter*, puis à l'Ellis du *Voyage*, c'est bien le même
personnage qui évolue. Tout se passe comme si l'image de
Madeleine s'était animée d'une vie propre dans l'esprit de
son créateur et s'était, progressivement, fort éloignée de
son modèle. Comment expliquer cela ?

La bien-aimée des *Cahiers d'André Walter* avait un double
caractère. D'une part, cédant à ce qu'il appelait dans sa
Tentative amoureuse la *dérisoire manie de faire toujours pareil
à soi, qui l'on invente*, Gide avait fait de sa cousine une
amante angélique et mystique telle que l'Alissa de *la Porte*

étroite nous en donna la parfaite figure [1] ; mais, tandis qu'en lui naissaient et se développaient d'irrépressibles désirs, Emmanuèle, tant dans les *Cahiers* que dans les *Poésies*, puis Ellis, puis l'interlocutrice du narrateur de la *Tentative* suscitaient avec une constance révélatrice toute une symbolique du froid, de la pureté stérile : le personnage gagnait une raideur que n'avait certes pas la jeune fille de la réalité... Mais il y avait aussi d'autres rêves féminins dans les *Cahiers*, et le lecteur ne peut qu'être frappé par leur caractère sinistre, cauchemardesque, voire grotesque, et par leur fréquence accrue dans les dernières pages du *Cahier noir :* ces rêves ne portent pas ouvertement le nom d'Emmanuèle, mais celle-ci, qui est pour André Walter l'Idée même de la Femme, en supporte nécessairement les déformations : de la folie du héros, puis de la crise d'ironie et de détachement qui suivit, l'image d'Emmanuèle sort transformée et débouche dans le rêve. Avec l'Ellis du *Voyage d'Urien*, qui assume encore et l'angélisme et l'irréalité froide d'Emmanuèle, survient d'ailleurs une nouvelle transfiguration, fort curieuse ; dans l'une des études les plus convaincantes qui aient été consacrées à Gide, et que l'on a plaisir à citer, Mlle Germaine Brée a heureusement montré qu'Ellis est « une vraie matérialisation mi-burlesque, mi-mélancolique de l'âme d'Urien-Gide ; tout y est : agendas inévitables, penchant vers la morale, goût d'herboriser, lectures perpétuelles ; et aussi le côté méticuleux et compassé de Gide que traduisent si bien le châle écossais, la petite valise, la salade d'escarole, et que l'ombrelle cerise souligne et contredit en même temps. La seconde Ellis, échevelée et moralisatrice jusque dans l'extase, évoque bien, elle aussi, l'âme du jeune puritain exalté que fut Gide. Qu'Urien soit pris de doutes affreux sur ses Ellis dissemblables et s'en débarrasse, c'est là le premier geste d'une révolte encore sournoise et toute ironique. A travers Urien, Gide se détache de lui-même et voudrait s'acheminer vers d'autres « moi ».

---

1. Dans ses dernières années, il confiait au professeur Delay, qui rapporte le mot : *Non, j'ai longtemps cru qu'elle était Alissa, elle ne l'était pas..., mais elle l'est devenue.*

André Walter achevait de mourir. Sur le plan du rêve et de la création littéraire, Narcisse résorbait son angoisse ; il sortait de l'ombre de ce Sinaï d'où tombaient jusqu'alors, catégoriques, les lois morales, pour découvrir, libéré, *des plaines blondes et des campagnes illuminées... L'Art littéraire* publiait dans son numéro de novembre 1893 un poème que Gide avait écrit quelques jours avant son départ africain : *Balcon ;* c'était tout un programme : d'un balcon symbolique il regardait s'étioler une calme fleur *dans le jardin de (ses) désirs :*

> *Nous la voyons à travers la fenêtre*
> *Et nous attendrons le matin*
> *Où quittant enfin la tour mensongère*
> *Nous descendons au jardin.*

Le Voyage d'Urien
Illustration de Maurice Denis

ans les deux années qui s'écoulèrent entre l'achèvement des *Cahiers d'André Walter* et la décision enfin prise de quitter *la tour mensongère* pour descendre au jardin, Gide voyait plus tard la période la plus confuse de sa vie, comme une *selve obscure* où il avait perdu son temps : *Période de dissipation, d'inquiétude... Volontiers*, écrit-il dans ses Mémoires, *je sauterais à pieds joints par-dessus, si, par le rapprochement de son ombre, ne se devait éclairer ce qui suivra ; de même que je trouve quelque explication et quelque excuse à cette dissipation, dans la contention morale où m'avait maintenu l'élaboration des* Cahiers. Mais, une fois passée cette phase naturelle de détente nerveuse, Gide se prit à étouffer dans les salons, les mondanités parisiennes, voire les bibliothèques, les *graves bouquins* moqués dans les *Poésies*, – la Culture, *née de la vie, tuant la vie*, comme dira Michel l'Immoraliste... Tout cela n'était qu'un petit monde artificiel dont la mesquinerie prêtait à rire ; l'air en était vicié, paludéen... Gide en souffrait, pressentait obscurément ce qu'il allait découvrir ; et, retour de son premier voyage nord-africain, c'est

d'abord la satire de cette *atmosphère étouffée des salons et des cénacles, où l'agitation de chacun remuait un parfum de mort*, qu'il se hâta d'écrire, avant même de livrer le message positif des *Nourritures*, le *secret de ressuscité* qu'il rapportait d'outre-Méditerranée ; ce fut *Paludes*, dont *un certain sens du saugrenu* lui dicta les premières phrases, mais qui n'est tout entier qu'une description stylisée de la vanité, de la futilité nauséeuse et marécageuse, de l'impuissance de la petite société où vit le héros, Tityre. « Paludes », *c'est l'histoire de qui ne comprit pas la vie ; de qui s'inquiète et s'agite pour avoir cru plus d'*une chose *nécessaire...* Première *sotie, Paludes* est aussi pathétiquement sérieux, – *discret, terrible badinage à fleur d'âme*, ainsi que le devina Mallarmé.

Tityre, qui lui aussi tient un journal et écrit un roman intitulé *Paludes*, est un André Walter comique, une sorte de Gide rapetissé et ridicule, support falot de tous les complexes, de tous les problèmes du véritable André Gide d'avant l'aventure nord-africaine. De son angélisme d'abord : à Angèle (remarquons ce nom ! il restera cher à Gide) qui, se méprenant sur les paroles de Tityre qui lui fait constater *l'impression de stérilité* que dégagent leurs relations toutes chastes, lui propose de rester ce soir-là avec lui, Tityre répond :

– *O ! voyons, chère amie ! – Si maintenant l'on ne peut plus vous parler de ces choses, sans que tout de suite... – Avouez d'ailleurs que vous n'en avez pas grande envie ; – puis vous êtes, je vous assure, délicate, et c'est en pensant à vous que j'écrivais, vous en souvenez-vous, cette phrase : « Elle craignait la volupté comme une chose trop forte et qui l'eût peut-être tuée. » Vous m'affirmiez que c'était exagéré... Non, chère amie, – non – nous pourrions en être gênés ; – j'ai même fait à ce sujet quelques vers :*

> *Nous ne sommes pas,*
> *Chère, de ceux-là*
> *Par qui naissent les fils des hommes.*

Sous la forme ironique, c'était toujours l'évolution de la même image d'Emmanuèle, qui trahissait l'évolution de Gide lui-même. Tityre, c'est l'homme débile, stérile, douteur et terrifié par la vie, inhibé par une pensée qui, s'enroulant suivant les spirales indéfinies de la conscience de soi, paralyse l'action – incurable maladie qui avait bien été celle de Walter et qui, affligeant Tityre, héros du livre qu'est en train d'écrire Tityre, héros de Gide, est décrite à l'intention du *grand Valentin Knox : la maladie de la rétrospection.*

Tityre, déjà, connaît donc confusément le désir, la tentation de l'acte gratuit que développera, quatre ans plus tard, *le Prométhée mal enchaîné :* action imprévue et réelle, dont la conscience n'aura pas tué le germe... Mais il ne commettra rien, il n'osera même pas, tenant compte des interdits de l'Église et de la Médecine, tuer *quatre macreuses ou sarcelles* pour s'en nourrir : Tityre se contentera de manger des vers de vase au bord de son marais – symbole du petit monde dont Angèle est la nymphe inconsistante. Son état d'âme suscite des paysages au sens fort clair :

Que de fois, cherchant un peu d'air, suffocant, j'ai connu le geste d'ouvrir des fenêtres – et je me suis arrêté, sans espoir, parce qu'une fois, les ayant ouvertes...

– Vous aviez pris froid ? dit Angèle.

– ... Parce qu'une fois, les ayant ouvertes, j'ai vu qu'elles donnaient sur des cours – ou sur d'autres salles voûtées – sur des cours misérables, sans soleil et sans air – et qu'alors, ayant vu cela, par détresse, je criai de toutes mes forces : Seigneur ! Seigneur ! nous sommes terriblement enfermés ! – et que ma voix me revint tout entière de la voûte. – Angèle ! Angèle ! que ferons-nous à présent ? Tenterons-nous encore de soulever ces oppressants suaires – ou nous accoutumerons-nous à ne plus respirer qu'à peine – à prolonger ainsi notre vie dans cette tombe ?

Non, Gide, en 1893, n'avait pas voulu s'accoutumer, ni prolonger ainsi sa vie dans cette tombe. Le 18 octobre, il s'embarquait à Marseille, accompagnant son ami le peintre Paul Laurens, pour l'Afrique.

ANDRÉ GIDE

Apollon

L'Afrique ! Je répétais ce mot mystérieux : je le gonflais de terreurs, d'attirantes horreurs, d'attente, et mes regards plongeaient éperdument dans la nuit chaude vers une promesse oppressante et tout enveloppée d'éclairs. Le 20 octobre, c'était Tunis – pour le poète comme pour le peintre, les Mille et une nuits... Puis, Zaghouan, Kairouan, Sousse, Biskra enfin, où ils restent plus de quatre mois. Entre André Gide et la terre maghrébine, des liens d'intimité profonde se nouent, qui, au cours des dix années suivantes, le feront cinq fois encore retraverser la mer pour retrouver l'enchantement (des quatre derniers voyages qu'il fit, accompagné de sa femme, en 1896, 1899, 1900 et 1903, les notes furent réunies en un séduisant petit volume, *Amyntas*).

Le secret de cette attirance, déjà il l'avait pressenti au cours de ses vacances enfantines dans la campagne d'Uzès où souvent, raconte-t-il, *brûlant la Fon di biau, je gagnais en courant la garrigue, vers où m'entraînait déjà cet étrange amour de l'inhumain, de l'aride, qui, si longtemps, me fit préférer à l'oasis le désert. Les grands souffles secs, embaumés, l'aveuglante réverbération du soleil sur la roche nue, sont enivrants comme le vin.*

Mais ce n'étaient là que de lointains souvenirs et, à vingt-quatre ans, Gide découvrait brusquement une vie dont la prodigieuse et inépuisable *nouvelleté,* en chaque instant, faisait naître en lui des soifs inconnues, et les étanchait au delà de toute espérance ; cette terre forcenée, ce climat excessif, cette frénésie luxuriante de la vie, toute son existence passée s'évanouissait pour qu'il en jouît, totalement libre, et le jeu de ses émotions était d'autant plus riche que, ayant pris froid quelques jours avant de s'embarquer, un *rhume sournois* l'oppressait bizarrement et que cette angoisse excitait plus maladivement sa sensibilité... Tandis que se déclarait une primo-infection, dont la convalescence dura jusqu'à l'été suivant (*les Nourritures terrestres,* Gide lui-même l'a

Paul Laurens

Gide en Algérie (1893)

souligné, sont le livre d'un convalescent qui a senti la vie
près de lui échapper), Gide s'immergeait avec délices dans
le monde des sensations.

*J'entendais, je voyais, je respirais, comme je n'avais jamais
fait jusqu'alors ; et tandis que sons, parfums, couleurs, profu-
sément en moi s'épousaient, je sentais mon cœur désœuvré,
sanglotant de reconnaissance, fondre en adoration pour un
Apollon inconnu.*

*— Prends-moi ! Prends-moi tout entier, m'écriais-je. Je
t'appartiens. Je t'obéis. Je m'abandonne. Fais que tout en moi
soit lumière ; oui ! lumière et légèreté. En vain je luttai contre
toi jusqu'à ce jour. Mais je te reconnais à présent. Que tes
volontés s'accomplissent : je ne résiste plus ; je me résigne à toi.
Prends-moi.*

*Ainsi j'entrai, le visage inondé de larmes, dans un univers
ravissant plein de rire et d'étrangeté.*

Et ce fut, premières lignes écrites du futur manuel de ferveur, la *Ronde de la grenade*, que Gide laissa publier dès l'été 1896, dans le premier numéro du *Centaure*, avant de l'intégrer au livre IV des *Nourritures terrestres* :

Vous cherchiez encore longtemps
Le bonheur impossible des âmes.
Joies de la chair et joies des sens
Qu'un autre s'il lui plaît vous condamne,
Amères joies de la chair et des sens –
Qu'il vous condamne – moi je n'ose.

La vue – le plus désolant de nos sens...
Tout ce que nous ne pouvons pas toucher nous désole ;
L'esprit saisit plus aisément la pensée
Que notre main ce que notre œil convoite.
Oh ! que ce soit ce que tu peux toucher que tu désires,
Nathanaël, et ne cherche pas une possession plus parfaite,
Les plus douces joies de mes sens
Ont été des soifs étanchées.

Le goût, symbole de tous les sens :

Mais des fruits – des fruits – Nathanaël, que dirai-je ?
Oh ! que tu ne les aies pas connus,
Nathanaël, c'est bien là ce qui me désespère.
Leur pulpe était délicate et juteuse,
Savoureuse comme la chair qui saigne,
Rouge comme le sang qui sort d'une blessure.
Ceux-ci ne réclamaient, Nathanaël, aucune soif particulière,
On les servait dans des corbeilles d'or ;
Leur goût écœurait tout d'abord, étant d'une fadeur incompa-
Il n'évoquait celui d'aucun fruit de nos terres ;   *[rable ;*
Il rappelait le goût des goyaves trop mûres,
Et la chair en semblait passée ;
Elle laissait, après, l'âpreté dans la bouche ;
On ne la guérissait qu'en remangeant un fruit nouveau ;
A peine bientôt si seulement durait leur jouissance
L'instant d'en savourer le suc...

Nouveau converti du Dieu de la Lumière, Gide goûtait sans arrière-pensée peccamineuse *(Nathanaël, je ne crois plus au péché!)* à tous les fruits de la terre ; le puritain rechigné et contraint avait cédé la place à un parfait hédoniste, qui semblait n'avoir conservé de sa longue habitude introspective que ce qu'il en fallait pour appliquer les fameux « principes de Jersey » énoncés dans *Un homme libre*, ce livre tant admiré par Gide dès 1890 et qui ébauchait déjà confusément l'invitation ardente des *Nourritures :* « Il faut *sentir* le plus possible en analysant le plus possible », conséquence du « Premier Principe : Nous ne sommes jamais si heureux que dans l'exaltation » et du « Deuxième Principe : Ce qui augmente beaucoup le plaisir de l'exaltation, c'est de l'analyser ».

De cette entreprise de libération, à laquelle, d'ailleurs, on l'a vu, Gide se préparait à demi inconsciemment depuis *les Cahiers* et *le Voyage d'Urien*, un chapitre fut plus important que tous les autres ; c'est même par là, par sa libération en matière sexuelle, que la révolte contre sa vie passée prit claire conscience d'elle-même et s'affirma définitivement, il faudrait dire : doctrinalement.

Déjà, dans le *Cahier noir* de Walter, étaient apparues de vagues mais alliciantes silhouettes d'enfants se baignant nus, plongeant dans la rivière *leur torse frêle, leurs membres brunis de soleil... – Quid tum si fuscus Amyntas ?* Des rages le prenaient *de n'être pas des leurs, un de ces vauriens des grandes routes* qui vivent à leur guise, et qui ne pensent pas... *... devant mes yeux se balançaient, d'abord indécises, les formes souples des enfants qui jouaient sur la plage et dont la beauté me poursuit ; j'aurais voulu me baigner aussi, près d'eux, et, de mes mains, sentir la douceur des peaux brunes. Mais j'étais tout seul ; alors un grand frisson m'a pris, et j'ai pleuré la fuite insaisissable du rêve...*

Mais, sitôt débarqué à Tunis, le rêve lui devint saisissable et multiple ; cela commença avec le charmant petit guide de quatorze ans, Céci, qui escorta Laurens et Gide dans leur visite des souks et qui, pour montrer à ce dernier *comment on se drapait dans un haïk,* dut se dévêtir à demi devant lui...

Et puis, en novembre, à Sousse, ce fut la joyeuse complaisance d'Ali : Gide, qui l'avait remarqué *parmi la bande de vauriens qui fainéantisaient aux abords de l'hôtel*, se laissa entraîner dans les dunes par le jeune garçon et, lorsque celui-ci, se jetant sur le sable, s'offrit, – après un bref suspens *(Sur le seuil de ce que l'on appelle : péché, hésitais-je encore ? Non ; j'eusse été trop déçu si l'aventure eût dû se terminer par le triomphe de ma vertu – que déjà j'avais prise en dédain, en horreur)*...

... *le vêtement tomba ; il rejeta au loin sa veste, et se dressa nu comme un dieu. Un instant il tendit vers le ciel ses bras grêles, puis, en riant, se laissa tomber contre moi. Son corps était peut-être brûlant, mais parut à mes mains aussi rafraîchissant que l'ombre. Que le sable était beau ! Dans la splendeur adorable du soir, de quels rayons se vêtait ma joie !*...

Instant de l'expérience cruciale, mais qui n'était encore, pour celui qui le vivait, qu'exaltation intense de la découverte

*Henri Ghéon, Charles Chanvin, Athman, André Gide, Eugène Rouart
(tableau de Jacques-Émile Blanche).*

du plaisir sous sa forme la plus aiguë, et dont le sens et la portée ne lui devaient apparaître qu'un peu plus tard. Certes, cet épisode ne le heurtait pas, Gide était décidé à n'avoir plus peur de *ce que l'on appelle : péché*, mais il le considérait encore comme tel ; et sans doute n'osa-t-il guère s'ouvrir à personne, même à son compagnon, Paul Laurens, de cette escapade dans les sables. Que voyait-il d'ailleurs lui-même dans ce qui le poussait à rechercher le contact des jeunes Arabes ? La séduction de leur radieuse jeunesse – de leur santé éclatante, qui le devait d'autant plus attirer qu'il se trouvait fébrile, fragile, sujet à des crachements de sang ; de Bachir, dans *l'Immoraliste*, Michel dira : *Ah ! qu'il se portait bien ! C'était là ce dont je m'éprenais en lui : la santé. La santé de ce petit corps était belle.* Ce n'était pas, aux yeux de Gide, une définitive option sexuelle, et le mois suivant, à Biskra, il accueillit avec plaisir le projet de visite, ménagée par Laurens, d'une de ces Ouled Naïl, courtisanes quasi rituelles, qui font commerce de leur corps pour constituer leur dot : Mériem ben Atala. *Aucun désir réel ne gonflait ma résolution*, soulignera-t-il dans *Si le grain ne meurt ;* aussi bien cherchait-il surtout *à normaliser* son activité sexuelle, toujours inquiet, d'une part, de son angélisme, et de l'autre, sentant peser encore sur l'expérience de Sousse l'instinctive réprobation puritaine : *... les revendications de ma chair ne savaient se passer de l'assentiment de mon esprit.* Or, si, dans cette nuit auprès de Mériem, il fut vaillant, et put même ensuite se féliciter du mieux-être qu'il en ressentit *(Mériem m'avait, d'emblée, fait plus de bien que tous les révulsifs du docteur)*, ce n'en fut pas moins un échec de sa tentative pour rejoindre la norme ; sa réussite n'était en effet due qu'à l'illusion qu'il s'était donnée, *fermant les yeux*, de serrer dans ses bras le petit Mohammed qu'il avait vu un soir, dans un des cafés des *rues Saintes* de Biskra, tempêtant sur son tambour de basque : *Qu'il était beau ! à demi nu sous ses guenilles, noir et svelte comme un démon, la bouche ouverte, le regard fou...*

Tout laisse penser que ce n'est que lors de son deuxième voyage nord-africain, au début de 1895, que Gide consentit à donner aux exigences de sa chair le plein assentiment de son esprit, et se persuada que, par nature, il n'était point conforme à la norme commune. Le problème, entre temps, avait assurément nourri sa méditation ; mais l'impulsion décisive, il la reçut d'un homme dont le hasard, un dimanche de janvier 1895 où il s'apprêtait à quitter Blida, lui fit retrouver pour quelques jours la compagnie : Oscar Wilde.

Oscar Wilde

En novembre 1891, Gide, qui en avait entendu parler chez Mallarmé, réussit à faire la connaissance de Wilde *(l'esthète Oscar Wilde, ô admirable, admirable celui-là !)*, dont le nom déjà glorieux – il avait tout juste trente-cinq ans – courait alors de bouche en bouche à Paris ; la séduction fut prompte, et Gide, *cette année et l'année suivante*, le vit *souvent et partout...*

Son geste, son regard triomphaient. Son succès était si certain qu'il semblait qu'il précédât Wilde et que lui n'eût qu'à s'avancer. Ses livres étonnaient, charmaient. Ses pièces allaient faire courir Londres. Il était riche ; il était grand ; il était beau ; gorgé de bonheurs et d'honneurs. Certains le comparaient à un Bacchus asiatique ; d'autres à quelque empereur romain ; d'autres à Apollon lui-même – et le fait est qu'il rayonnait.

L'influence s'exerça immédiatement, dans le sens même où, trois ans plus tard, elle fut si décisive ; mais Gide, fasciné, entraîné malgré lui, avait alors mauvaise conscience, et il notait dans son *Journal* du 1er janvier 1892 : *Wilde ne m'a fait, je crois, que du mal. Avec lui, j'avais désappris de penser. J'avais des émotions plus diverses, mais je ne savais plus les ordonner...* Il se ressaisira, mais on ne saurait sous-estimer l'importance de Wilde dans l'évolution d'André Gide ; et celui-ci certes s'en souvenait, presque octogénaire, lorsqu'en 1947, à Oxford où il venait de se voir conférer le doctorat ès lettres *honoris causa*, il demanda avec émotion à voir la chambre que, de 1874 à 1879, le jeune poète irlandais avait occupée, boursier au Magdalen College.

à mon cher ami
André Gide.

Dec.
91.

Oscar Wilde

Wilde, quand Gide le retrouve à Blida en janvier 1895, a beaucoup changé ; il est à l'apogée de sa gloire, mais à quelques semaines de sa misérable chute. Il est toujours le merveilleux causeur que Gide avait connu, quoique dispensant plus rarement l'enchantement de ses contes ; à Londres, *Lady Windermere's Fan* et *A Woman of No Importance* lui avaient valu de durables triomphes ; *The Picture of Dorian Gray*, somme esthétique et morale de Wilde, avait conquis son public, bien que le *Daily Chronicle* l'eût jugé « engendré par la littérature lépreuse des décadents français »... Mais, si les salons de toute l'Europe se l'arrachaient encore, ses mœurs commençaient d'être connues, les rumeurs s'enflaient, le scandale couvait. Avec la gloire, Wilde avait pris de l'assurance, ne doutait plus que la société victorienne ne passât tout à son enfant terrible. « Tel un grand païen, il semblait décidé à vivre sa propre vie pleinement, sans souci de ce que le reste du monde dirait, penserait ou ferait. » Voilà l'homme que Gide rencontra à Blida, un Wilde *enhardi, affermi, grandi*, au lyrisme devenu violent, et qui avait *quelque chose de rauque en son rire et de forcené dans sa joie* :

– *Oh! dit-il à Gide, c'est que maintenant je fuis l'œuvre d'art. Je ne veux plus adorer que le soleil... Avez-vous remarqué que le soleil déteste la pensée ; il la fait reculer toujours, et se réfugier dans l'ombre. (...)*

Adorer le soleil, ah! c'était adorer la vie. L'adoration lyrique de Wilde devenait farouche et terrible. Une fatalité le menait ; il ne pouvait pas et ne voulait pas s'y soustraire. Il semblait mettre tout son soin, sa vertu, à s'exagérer son destin et à s'exaspérer lui-même. Il allait au plaisir comme on marche au devoir.

Quelques conversations avec Wilde, quelques soirées passées en sa compagnie, puis en la compagnie de Douglas seul, à la recherche du plaisir sans vergogne ni dissimulation : Gide, s'il ne retrouvait l'innocent émerveillement de Sousse, empruntait à Wilde son assurance, son calme ; effrayé par l'imprudence de l'Irlandais dont il pressentait la catastrophe (Wilde venait d'engager son fameux procès contre Queensberry), il y puisait néanmoins la force de s'affirmer lui-même dans ce qu'il considérait comme sa nature *particulière* enfin

le fait est qu'il rayonnait...

révélée : il *légitimait* désormais à ses propres yeux ce qui jusqu'alors heurtait en lui les restes d'un moralisme invétéré : car ses *réflexes moraux*, dit-il dans ses Mémoires, dépendaient encore des *survivances d'une éthique ancienne que rien en (lui) n'approuvait plus*... Et, quelques années plus tard, rien ne l'indigna plus que cette conversion à l'*humilité* qu'il découvrit dans le *De Profundis* écrit par Wilde durant son séjour en prison et publié cinq ans après sa mort ; il n'y voyait qu'une pitoyable infidélité au Wilde glorieux dont il avait subi l'influence, et eut pour cette œuvre des mots d'une dureté significative :

> *Lorsque, chez un artiste, pour des raisons extérieures ou intimes, tarit le jaillissement créateur, l'artiste s'assied, renonce, se fait de sa fatigue une sagesse et appelle cela : avoir trouvé la Vérité. (...)*

> *Pour ceux qui ont connu Wilde avant, puis après la prison, de telles paroles restent douteusement pénibles ; car son silence artistique ne fut pas le silence pieux d'un Racine, et cette* humilité *n'était qu'un nom pompeux qu'il donnait à son impuissance.*

A Wilde, Gide ne doit toutefois que l'affirmation de son attitude morale, le courage de ses goûts. Ceux-ci étaient, et demeurèrent, fort différents de l'homosexualité du « King of Life » : il ne s'agissait guère, pour Gide et ses jeunes partenaires de plaisir, que d'un échange de caresses, en quelque sorte d'une complicité dans l'onanisme ; *Si le grain ne meurt* juge *dégoûtante* l'obstination avec laquelle Lord Alfred Douglas parlait à Gide de ses pratiques, assurément plus intimes ; et celui-ci, évoquant une scène d'homosexualité *active* dont il fut témoin à Alger, *au quatrième étage d'un hôtel borgne*, souligne qu'il eût *crié d'horreur : Pour moi, qui ne comprends le plaisir que face à face, réciproque et sans violence, et que souvent, pareil à Whitman, le plus furtif contact satisfait*... Dans des *Feuillets* intégrés au *Journal* de 1918, il refuse aussi bien le nom de « sodomite » *(celui dont le désir s'adresse aux hommes faits)* que celui d' « inverti » *(celui qui, dans la comédie de l'amour, assume le rôle d'une femme et désire être possédé)*, et s'affirme « pédéraste » : *celui qui, comme*

le mot l'indique, s'éprend des jeunes garçons. Sexuellement,
Gide manifestait ainsi sa nostalgie d'une enfance jugée pure
parce que antérieure aux déchirements adultes, sa nostalgie
du *vert paradis.* Et l'on voit de quelle façon s'achevait la
doctrine amoureuse de la dissociation du cœur et des sens,
comment, bien qu'il dissimulât désormais toute une partie
de sa vie à Madeleine, il pouvait croire lui garder une fidélité
intacte et désirer encore son mariage.

Mariage de l'Immoraliste

Pourtant, jusqu'au printemps 1895, l'opposition familiale
à ce mariage n'avait guère désarmé, et la révolte contre les
conseils, l'autorité, la *tyrannie* maternels en était même venue
à un point de crise que permet d'apprécier cette véhémente
lettre du 15 mars 1895 que nous avons déjà citée ; chaque
correspondance portait maintenant un coup que Mme Paul
Gide devait ressentir douloureusement. Au cours du premier
voyage, il y avait eu, à Biskra, la scène pénible entre André et sa
mère qui avait surpris au petit matin le départ de Mériem... ;
scène relatée dans *Si le grain ne meurt* et qui fut comme la
réintrusion du passé dans le présent : brève victoire de Mme
Gide – Mériem ne revint pas à la Maison des Pères Blancs –
mais qui fit son fils détester davantage son éducation mora-
liste et puritaine, aspirer avec plus de ferveur à sa libération,
à son déracinement. Et le deuxième séjour à Biskra (février-
avril 1895) fut l'occasion d'une véritable guerre, épistolaire
mais ouverte, entre Mme Gide et son fils, qui prétendait
enlever un jeune Arabe, Athman, et l'installer rue de
Commailles : cette fois-ci encore, André ne ramena pas *son
nègre* à Paris et Mme Gide remporta la victoire, mais son
inquiétude s'aggravait ; elle se rendait compte enfin que son
fils lui échappait – ce qu'elle put soupçonner de l'influence
de Wilde en ce printemps-là et du terrible chemin parcouru,
l'exaltation croissante du jeune immoraliste qui vivait déjà
ce qu'il allait bientôt ériger en doctrine, les conseils aussi de

l'oncle Charles Gide, tout cela la détermina à un revirement brusque de son attitude à l'endroit de l'union de son fils et de sa nièce. Sans cesser d'en distinguer les dangers, elle y vit le seul moyen de placer André Gide sous une influence qu'elle estimait bénéfique et analogue à la sienne : *Peut-être aussi sentait-elle ses forces diminuer et craignait-elle de me laisser seul.* Le caractère fraternel de la tendresse qui unissait les deux jeunes gens, l'âme trouble et changeante d'André, bref ce qui jusqu'alors avait été l'objection majeure opposée au projet de mariage était ainsi devenu un argument favorable, voire pressant. Gide pouvait, « devait » désormais épouser celle qui, auprès de lui, remplacerait sa mère et jouerait bientôt un rôle analogue ; qu'il en fût dès lors conscient, c'est ce que montre, bien avant l'époque des Mémoires, l'affirmation du héros de l'autobiographique *Immoraliste*, Michel, lequel n'a épousé Marceline que pour complaire à un père qui, entre autres traits qui trahissent sa rigoureuse ressemblance avec Mme Paul Gide, s'inquiétait, mourant, de voir son fils livré seul à lui-même. Et y aura-t-il rien de plus révélateur que ces rêves de l'André Gide octogénaire, que cet aveu extraordinaire de l'*Ainsi soit-il* posthume :

... Dans le rêve..., la figure de ma femme se substitue parfois, subtilement et comme mystiquement, à celle de ma mère, sans que j'en sois très étonné. Les contours des visages ne sont pas assez nets pour me retenir de passer de l'une à l'autre ; l'émotion reste vive, mais ce qui la cause reste flottant ; bien plus : le rôle que l'une ou l'autre joue dans l'action du rêve reste à peu près le même, c'est-à-dire un rôle d'inhibition, ce qui explique ou motive la substitution.

Mme Gide s'éteignit le 31 mai 1895 ; *à quelque temps de là*, lit-on dans *Si le grain ne meurt*, en fait le 17 juin, discrètement mais officiellement, eurent lieu les fiançailles d'André et de Madeleine, qui se marièrent le 8 octobre, au temple d'Étretat. Été de *difficiles fiançailles*, où chacun semble avoir reconsidéré ses problèmes – Gide croyant trouver une issue à l'impasse où il s'engageait, en consultant un médecin, auquel il fit une confession *aussi cyniquement complète qu'il était possible* pour s'entendre répondre :

*Vous dites que, cependant, vous aimez une jeune fille ; et
que vous hésitez à l'épouser, connaissant d'autre part vos goûts...
Mariez-vous. Mariez-vous sans crainte. Et vous reconnaîtrez
bien vite que tout le reste n'existe que dans votre imagination.
Vous me faites l'effet d'un affamé qui, jusqu'à présent, cherchait
à se nourrir de cornichons. (Je cite exactement ses paroles ;
parbleu, je m'en souviens assez !) Ce qu'est l'instinct naturel,
lorsque vous serez marié, vous aurez vite fait de le comprendre,
et tout spontanément d'y revenir.*

Conseils aussi catastrophiques, on s'en rend compte, que
l'avaient été, en guise de traitement, les menaces du docteur
Brouardel à l'enfant de huit ans coupable de *mauvaises
habitudes. L'affamé* ne se découvrit pas d'appétit pour une
nourriture *normale...* Et la plus dure épreuve de ce voyage
de noces qui conduisit d'abord en Suisse le jeune couple fut
sans doute pour Gide la découverte et l'acceptation de son
impuissance. Tout devenait ainsi définitif.

Que les deux époux aient tout de suite admis, presque avec
indifférence, comme on l'a prétendu, la non-consommation
de leur union, – trop de preuves existent du contraire, et
d'abord cette consultation médicale que Gide s'était préalablement imposée. Tous deux souffrirent dans leur chair et
dans leur âme de cette situation anormale. Mais quant à
accepter la version tragique qu'en donne *Et nunc manet in te*
et l'image, que nous laisse le récit, d'un Gide cruellement
aveugle sur le Calvaire de sa jeune femme, ce serait là heurter
l'écueil opposé ; Jean Schlumberger a pu rassembler d'irré-
cusables témoignages pour étayer le souvenir qu'il gardait
d'un couple heureux, et qui fut heureux pendant plus de
vingt années, ayant connu une grande souffrance, mais
l'ayant dépassée sans blessure honteuse. C'est au seuil de
la deuxième partie de *Si le grain ne meurt* que Gide écrit
(*au printemps de 1919*, précise une note, c'est-à-dire peu après
le drame de novembre 1918) : *En ce temps de ma vingtième
année, je commençai de me persuader qu'il ne pouvait m'advenir
rien que d'heureux ; je conservai jusqu'à ces derniers mois cette
confiance, et je tiens pour un des plus importants de ma vie
l'événement qui m'en fit douter brusquement.* Certes, peu

à peu l'essentiel de la vie d'André Gide dut se dérouler trop loin de Madeleine ; apeurée par ce qu'elle en devinait, et par l'évolution de son œuvre, elle en vint à se taire, à aimer son mari, non pas en s'aveuglant sur ce qu'elle réprouvait en lui, mais en remplaçant les questions et les réponses par une foi définitive dans le destin de son âme : « J'ai eu le meilleur de ton âme, lui écrivit-elle encore un jour douloureux de juin 1918, la tendresse de ton enfance et de ta jeunesse. Et je sais que, vivante ou morte, j'aurai l'âme de ta vieillesse. » Jean Schlumberger a judicieusement démontré que Gide, commençant d'écrire *Et nunc...* quelques semaines après la mort de Madeleine, dans son douloureux désir d'avouer sincèrement ses torts et de se présenter coupable, comme pour exhausser la noble image de celle qu'il venait de perdre, a été jusqu'à se calomnier, jusqu'à déformer son histoire conjugale, et surtout les premières années de celle-ci, sur lesquelles il fait tomber, anachroniquement, la sombre lumière de 1918 : ainsi choisit-il pour le récit de son voyage de noces les deux anecdotes pénibles de Rome (où il faisait monter dans sa chambre, *sous le prétexte de les photographier, les jeunes modèles de Saraginesco qui venaient, en ce temps, se proposer sur l'escalier de la place d'Espagne ;* abandonnant Madeleine *de longues heures* qu'elle devait occuper *sans doute* à errer dans la ville, *éperdue...*) et du train qui les ramenait de Biskra à Alger (où, penché à la portière, durant tout le voyage, il caressa les bras nus de jeunes écoliers du compartiment voisin : goûtant à ce plaisir *de suppliciantes délices, haletant, pantelant,* face à sa femme qui, à l'arrivée, lui dit tristement : *Tu avais l'air ou d'un criminel ou d'un fou...*) : faits authentiques, assurément, mais... qui n'eurent lieu que plusieurs années après le voyage de noces, Schlumberger l'a irréfutablement montré. C'est qu'il plaisait à Gide, battant sa coulpe, de faire de ce premier voyage *une sorte d'entrée en enfer,* de montrer *viciée dès le premier jour* l'histoire de sa vie conjugale, accentuant ainsi, involontairement bien sûr, l'aspect dramatique de cette histoire.

Si drame il y eut, il fut plus intérieur, et moins spectaculaire. Quoiqu'il se fût déjà accoutumé à taire une part de

à Madeleine, André Gide, en l'épousant, avait la
intention de l'engager à sa suite sur le chemin de la
libération immoraliste, de *cet élargissement sans fin* où il
marchait déjà lui-même ; il avait retrouvé en elle la timidité,
le repliement contraint, la peur de la vie et des sens qui
étaient au fond du caractère de sa mère : *De là cette résolution
que je pris, très jeune encore, de violenter ses réticences et de
l'entraîner avec moi vers l'exubérance et la joie. C'est là que
commença ma méprise,* écrit-il dans *Et nunc manet in te*,
et aussi sa déception : non seulement Madeleine était timo-
rée et entravée par son moralisme, mais elle était de cons-
titution fragile, et André en souffrit, comme Michel de la
faiblesse de Marceline, qui, malade, ne pouvait supporter
même le parfum des fleurs d'amandier dont il avait *blanchi*
le salon, et qui chancelait, éclatait en sanglots... :

– *L'odeur de ces fleurs me fait mal, dit-elle...*

*Et c'était une fine, fine, une discrète odeur de miel... Sans rien
dire, je saisis ces innocentes branches fragiles, les brise, les
emporte, les jette, exaspéré, le sang aux yeux. – Ah! si déjà ce peu de
printemps elle ne le peut plus supporter !...*

*Je repense souvent à ces larmes et je crois maintenant que,
déjà se sentant condamnée, c'est du regret d'autres printemps
qu'elle pleurait. – Je pense aussi qu'il est de fortes joies pour
les forts, et de faibles joies pour les faibles que les fortes joies
blesseraient. Elle, un rien de plaisir la soûlait; un peu d'éclat
de plus, et elle ne le pouvait plus supporter. Ce qu'elle appelait le
bonheur, c'est ce que j'appelais le repos, et moi je ne voulais ni ne
pouvais me reposer.*

Et cette résistance, cette incapacité de Madeleine à suivre
son mari *vers l'exubérance et la joie,* sensible en Suisse et en
Italie, le fut bien davantage en Afrique du Nord, où André
l'entraîna sur tous les lieux où il avait puisé, dans ses deux
premiers voyages, son *secret de ressuscité...* Étrange mais significative fut la posture de ce jeune époux qui, à Saint-Moritz
où il découvrait son impuissance, déplorait que sa femme ne
supportât pas l'ivresse violente des sensations et écrivait
tout d'une haleine ce fragment des *Nourritures terrestres* où
Ménalque, l'homme de toutes les *joies de la chair et des sens,*

narre sa vie : *Je m'appris, comme des questions devant les atten-*
dantes réponses, à ce que la soif d'en jouir, née devant chaque
volupté, en précédât d'aussitôt la jouissance.

Il est mesquin de ne voir dans l'exaltation sensuelle du
nouveau personnage créé par Gide qu'une sorte de compen-
sation à son *fiasco* conjugal. Ménalque préexistait au mariage
blanc de son auteur. Si Gide en souffrit, ce fut pour Madeleine, dont il craignait encore avec raison qu'elle ne comprît
pas que c'était l'intensité même de son amour qui le rendait
sans désirs. Quant à son propre destin, il savait désormais qu'il
ne l'assumerait que loin d'elle : *Le drame, pour chacun de*
nous deux, commença du jour où je dus comprendre (et où elle
comprit également) que je ne me pourrais accomplir qu'en
m'écartant d'elle. Elle ne fit du reste rien pour me tirer en arrière
ou me retenir ; seulement elle se refusait à m'accompagner sur
ma route impie ; ou que du moins elle jugeait telle. (Journal,
25 juin 1944.) L'effort qu'il devait faire pour préserver Madeleine du choc qu'elle ne pourrait souffrir, cet effort même lui
sembla profitable et, en un sens, *délicieux*, comme à Michel
dans *l'Immoraliste* :

Aussi bien celui que Marceline aimait, celui qu'elle avait
épousé, ce n'était pas mon « nouvel être ». Et je me redisais cela,
pour m'exciter à le cacher. Ainsi ne lui livrai-je de moi qu'une
image qui, pour être constante et fidèle au passé, devenait de jour
en jour plus fausse.

Mes rapports avec Marceline demeurèrent donc, en attendant,
les mêmes – quoique plus exaltés de jour en jour, par un toujours
plus grand amour. Ma dissimulation même (si l'on peut appeler
ainsi le besoin de préserver de son jugement ma pensée), ma dissi-
mulation l'augmentait. Je veux dire que ce jeu m'occupait de
Marceline sans cesse. Peut-être cette contrainte au mensonge me
coûta-t-elle un peu d'abord ; mais j'arrivai vite à comprendre
que les choses réputées les pires (le mensonge, pour ne citer que
celle-là) ne sont difficiles à faire que tant qu'on ne les a jamais
faites ; mais qu'elles deviennent chacune, et très vite, aisées,
plaisantes, douces à refaire, et bientôt comme naturelles. Ainsi
donc, comme à chaque chose pour laquelle un premier dégoût
est vaincu, je finis par trouver plaisir à cette dissimulation même,

à m'y attarder, comme au jeu de mes facultés inconnues. Et j'avançais chaque jour, dans une vie plus riche et plus pleine, vers un plus savoureux bonheur.

Ainsi Marceline meurt-elle, symboliquement, au cours du voyage où Michel l'entraîne, dans cette Algérie qui l'avait libéré, lui, et de cette même maladie qui lui avait révélé, à lui, les richesses sapides de la vie et de la santé... Et, des *Nourritures*, Emmanuèle est absente – ... non pas absolument, pourtant : l'*Hymne* final lui est dédié *(A M[adeleine] A[ndré] G[ide])*, où un personnage féminin, innommé, parle, mais pour dire l'irrésistible marche des *naissantes étoiles*, qu'une intime volonté pousse et dirige ; il semble que Gide ait éprouvé le besoin de montrer tout spécialement à sa femme, comme pour couper court à ses objurgations éventuelles, qu'il ne pouvait plus ne pas suivre dorénavant *sa* voie, son destin particulier, quel qu'il fût : de même que les étoiles...

De Ménalque à Saül

Qui est Ménalque ? Dans *les Nourritures*, le maître du narrateur, qui à son tour transmet la doctrine à son disciple Nathanaël ; dans *l'Immoraliste*, sinon le guide de Michel, du moins celui qui l'a précédé sur la route de libération, et éveille sa conscience aux principes de sa nouvelle éthique... Peut-on reconnaître Oscar Wilde dans *ce personnage cosmopolite, égoïste et sybarite, avec son culte du panthéisme, son goût de la débauche, sa sexualité particulière* (J. O'Brien), et qui connut, précise *l'Immoraliste, un honteux procès à scandale qui avait été pour les journaux une commode occasion de le salir* ? Oui, mais c'est aussi Gide lui-même, l'aîné, le pédagogue, le moniteur, comme Ménalque, dans les *Bucoliques*, était l'indubitable masque de Virgile. Nathanaël (dont le nom signifie « Don de Dieu »), c'est le disciple, mais aussi l'adolescent libre et fervent que Gide regrette de n'avoir pu être : ce sera le Fils prodigue, et Lafcadio des *Caves*, et Bernard des *Faux-Monnayeurs*...

Ménalque, c'est le *nouvel être*, c'est-à-dire celui que Gide, malade, a brusquement senti comme le seul important, le seul *vrai* ; l'immoraliste raconte :

Rien de plus tragique, pour qui crut mourir, qu'une lente convalescence. Après que l'aile de la mort a touché, ce qui paraissait important ne l'est plus ; d'autres choses le sont, qui ne paraissaient pas importantes, ou qu'on ne savait même pas exister. L'amas sur notre esprit de toutes connaissances acquises s'écaille comme un fard et, par places, laisse voir à nu la chair même, l'être authentique qui se cachait.

Ce fut dès lors celui que je prétendis découvrir : l'être authentique, le « vieil homme », celui dont ne voulait plus l'Évangile ; celui que tout, autour de moi, livres, maîtres, parents, et que moi-même avions tâché d'abord de supprimer. Et il m'apparaissait déjà, grâce aux surcharges, plus fruste et difficile à découvrir mais d'autant plus utile à découvrir et valeureux. Je méprisai dès lors cet être secondaire, appris, que l'instruction avait dessiné par-dessus. Il fallait secouer ces surcharges.

Et je me comparais aux palimpsestes...

(...) Il fallait laisser le temps, aux caractères effacés, de reparaître, ne pas chercher à les former. Laissant donc mon cerveau, non pas à l'abandon, mais en jachère, je me livrai voluptueusement à moi-même, aux choses, au tout, qui me parut divin. Nous avions quitté Syracuse et je courais sur la route escarpée qui joint Taormine à La Môle, criant, pour l'appeler en moi : Un nouvel être ! Un nouvel être !

Le nouvel être est celui qui, ignorant tous les interdits, retrouve la pureté originelle des émotions, et s'applique à jouir le plus possible du plus grand nombre d'émotions possible : découvrir *concrètement* la richesse de la nature et de la vie, aimer cette richesse et éveiller par là, en soi-même, la ferveur qui fait toute la valeur de l'homme. C'est l'admirable premier livre des *Nourritures terrestres* :

Ne souhaite pas, Nathanaël, trouver Dieu ailleurs que partout.

Chaque créature indique Dieu, aucune ne le révèle.

Dès que notre regard s'arrête à elle, chaque créature nous détourne de Dieu.

PRÉFACE

DE L'ÉDITION DE 1927

Juillet 1926

CE manuel d'évasion, de délivrance
il est d'usage qu'on m'y enferme. Je
profite de la réimpression que voici pou

ANDRÉ GIDE

Tandis que d'autres publient ou travaillent, j'ai passé trois années de voyage à oublier au contraire tout ce que j'avais appris par la tête. Cette désinstruction fut lente et difficile; elle me fut utile plus que toutes les instructions imposées par les hommes, et vraiment le commencement d'une éducation.

Tu ne sauras jamais les efforts qu'il nous a fallu faire pour nous intéresser à la vie; mais maintenant qu'elle nous intéresse, ce sera comme toute chose – passionnément.

Une sorte de panthéisme individualiste...

Et tu seras pareil, Nathanaël, à qui suivrait pour se guider une lumière que lui-même tiendrait en sa main.

Où que tu ailles, tu ne peux rencontrer que Dieu. – Dieu, disait Ménalque : c'est ce qui est devant nous.

Nathanaël, tu regarderas tout en passant, et tu ne t'arrêteras nulle part. Dis-toi bien que Dieu seul n'est pas provisoire.

Que l'importance soit dans ton regard, non dans la chose regardée.

Tout ce que tu gardes en toi de connaissances distinctes restera distinct de toi jusques à la consommation des siècles. Pourquoi y attaches-tu tant de prix ?

Il y a profit aux désirs, et profit au rassasiement des désirs – parce qu'ils en sont augmentés. Car, je te le dis en vérité, Nathanaël, chaque désir m'a plus enrichi que la possession toujours fausse de l'objet même de mon désir.

Naissance de l'immoralisme :

(...) Hérétique entre les hérétiques, toujours m'attirèrent les opinions écartées, les extrêmes détours des pensées, les divergences. Chaque esprit ne m'intéressait que par ce qui le faisait différer des autres. J'en arrivai à bannir de moi la sympathie, n'y voyant plus que la reconnaissance d'une émotion commune.

Non point la sympathie, Nathanaël, – l'amour.

Agir sans juger si l'action est bonne ou mauvaise. Aimer sans s'inquiéter si c'est le bien ou le mal.

Nathanaël, je t'enseignerai la ferveur.

Une existence pathétique, Nathanaël, plutôt que la tranquillité... J'espère, après avoir exprimé sur cette terre tout ce qui attendait en moi, satisfait, mourir complètement désespéré.

...on monumentale des Nourritures, *illustrée par Galanis (1930).*

(...) Mes émotions se sont ouvertes comme une religion. Peux-tu comprendre cela : toute sensation est d'une présence infinie.

Et voici les plus fameuses formules de ce qui fut le nouvel Évangile du siècle :

Il y a d'étranges possibilités dans chaque homme. Le présent serait plein de tous les avenirs, si le passé n'y projetait déjà une histoire. Mais hélas ! un unique passé propose un unique avenir — le projette devant nous, comme un point infini sur l'espace.

On est sûr de ne jamais faire que ce que l'on est incapable de comprendre. Comprendre, c'est se sentir capable de faire. ASSUMER LE PLUS POSSIBLE D'HUMANITÉ, *voilà la bonne formule.*

Formes diverses de la vie, toutes vous me parûtes belles. (Ce que je te dis là, c'est ce que me disait Ménalque.)

J'espère bien avoir connu toutes les passions et tous les vices ; au moins les ai-je favorisés. Tout mon être s'est précipité vers toutes les croyances ; et j'étais si fou certains soirs que je croyais presque à mon âme, tant je la sentais près de s'échapper de mon corps, — me disait encore Ménalque.

(...) Nathanaël. Quand aurons-nous brûlé tous les livres ! ! !

Il ne me suffit pas de lire que les sables des plages sont doux : je veux que mes pieds nus le sentent... Toute connaissance que n'a pas précédée une sensation m'est inutile.

Ce nouvel Évangile était d'abord un livre de nature, de campagnes et de jardins, de fleurs et de fruits, de sable et d'argile — livre combien utile *à un moment où la littérature,* rappellera Gide dans sa préface à la réédition de 1927, *sentait furieusement le factice et le renfermé ; où il (lui) paraissait urgent de la faire à nouveau toucher terre et poser simplement sur le sol un pied nu...* A un ami, en 1896, il écrivait même plus brutalement : *Il nous faut précipiter la littérature dans un abîme de sensualisme d'où elle ne puisse sortir que complètement régénérée.* Car cette fenêtre largement ouverte sur le monde extérieur n'offre pas ce monde pour une fin en soi, et la beauté des choses n'importe qu'à cause de la ferveur qu'elle suscite : *Que* l'importance *soit dans ton regard, non dans la chose regardée...* Gide pensait ainsi s'opposer violemment à la littérature picturale d'alors (le *ut pictura poesis*) qu'il tenait *pour une aussi déplorable aberration que la peinture littéraire...* Et cet impressionnisme panthéiste, qui est comme une morale poétique à l'usage de l'individu, aboutit en effet à cette *glorification du désir et des instincts* à quoi Gide ne voulait pourtant pas qu'on réduisît son enseignement : *pour moi (...), c'est plus encore une apologie du* dénuement, *que j'y vois.* (Préface de 1927.) Car il est dit aussi dans le premier livre : *Nathanaël, que chaque attente, en toi, ne soit même pas un désir, mais simplement une disposition à l'accueil. Attends tout ce qui vient à toi ; mais ne désire que ce qui est à toi. Ne désire que ce que tu as.* Et puis, de quoi est-il surtout question ? De *dénuder* l'individu, de faire de son âme, de son esprit, comme une table rase, toute accueil, toute disponibilité, qui ne possède rien mais que rien ne possède, qui s'éperd dans les autres âmes pour les assumer toutes : c'est ce que dit Ménalque, *dans un jardin – sur la colline de Florence (celle qui fait face à Fiesole) – où nous étions ce soir assemblés :*

La nécessité de l'option me fut toujours intolérable ; choisir m'apparaissait non tant élire, que repousser ce que je n'élisais pas.

(...) Entrer dans un marché de délices, en ne disposant (grâce à Qui ?) que d'une somme trop minime. En disposer ! choisir, c'était renoncer pour toujours, pour jamais, à tout le reste et la quantité nombreuse de ce reste demeurait préférable *à n'importe quelle unité.*

De là me vint d'ailleurs un peu de cette aversion pour n'importe quelle possession *sur la terre ; la peur de n'aussitôt plus posséder que cela.*

« Don du poète, m'écriais-je, tu es le don de perpétuelle rencontre » – et *j'accueillais de toutes parts. Mon âme était l'auberge ouverte au carrefour ; ce qui voulait entrer, entrait. Je me suis fait ductile, à l'amiable, disponible par tous mes sens, attentif, écouteur jusqu'à n'avoir plus* une *pensée personnelle, capteur de toute émotion en passage, et de réaction si minime que je ne tenais plus rien pour mal plutôt que de protester devant rien.*

On voit le danger – Gide l'a bientôt vu lui-même : de ce moi, de cette âme, *auberge ouverte au carrefour,* l'unité tend à s'évanouir, l'existence s'effrite. Le sujet n'est plus qu'une vaste et grouillante foire aux désirs, *un champ de manœuvres* parasité et bientôt même vidé de sa substance propre par les objets, présents dans les sensations dont ils sont cause. Ce que l'*ego* désire et aime, c'est ce qui l'envahit et finalement le supprime, l'expulse de lui-même. Hylas, qui avait chanté la *Ronde de la grenade*, dit cette transparente parabole :

... Et chacun de mes sens a eu ses désirs. Quand j'ai voulu rentrer en moi, j'ai trouvé mes serviteurs et mes servantes à ma table ; je n'ai plus eu la plus petite place où m'asseoir. La place d'honneur était occupée par la Soif ; d'autres soifs lui disputaient la belle place. Toute la table était querelleuse, mais ils s'entendaient contre moi. Quand j'ai voulu m'approcher de la table, ils se sont tous levés contre moi, déjà ivres ; ils m'ont chassé de chez moi ; ils m'ont traîné dehors, et je suis ressorti pour aller leur cueillir des grappes.

Tel est le drame du Saül gidien, dans la pièce qu'il écrivit pour la plus grande partie à Rome, au printemps 1898, peu de mois après l'achèvement des *Nourritures*, dont il est en quelque sorte le négatif critique. Le vieux roi Saül est l'homme accablé de désirs, mais sans volonté, qui entretient ses démons aux dépens de son être, qui accueille sans s'affirmer – qui finalement s'éprend de ce qui doit provoquer sa perte : il devient amoureux de David, le jeune garçon choisi par Dieu pour lui arracher le trône d'Israël... Dans son dernier *Journal*, Gide note que son *Saül* lui avait été inspiré par la découverte d'une chrysalide de sphinx qui *conservait sa forme parfaite avec la minutieuse indication du papillon qui devait en sortir :* à peine l'eut-il pressée entre ses doigts que l'enveloppe céda, révélant *quantité de petits cocons qui avaient usurpé toute la place : ... ce que je ne comprenais pas c'est que l'animal premier dévoré ait pu trouver encore la force de parvenir à cette nymphose trompeuse. Rien ne révélait au dehors sa consomption totale et la victoire parasitaire. Ainsi dirait, pensai-je, mon Saül :* « *Je suis complètement supprimé.* » (28 avril 1943.) Certes le sensualisme des *Nourritures terrestres* a été une des plus fermes constantes de Gide, mais on ne saurait en faire le terme profond de son éthique qu'en négligeant, au départ,

la critique aiguë de *Saül* : *La dissolution de la personnalité,
où menait une disposition trop passive à l'accueil,* put-il écrire
au pasteur Eugène Ferrari, *est le sujet même de mon* Saül
(...) que j'écrivis sitôt après mes Nourritures, *en manière
d'antidote ou de contrepoids.* « *Tout ce qui m'est charmant m'est
hostile* », s'écrie le roi, qui meurt « *complètement supprimé* »
par ses désirs.

Liberté et personnalité

Cependant, quelques dangers que son auteur ait bientôt su
déceler dans ses conséquences, tel est bien l'enseignement des
Nourritures qui, pour le livrer *libre* à lui-même, affranchit
pleinement le disciple, – l'affranchit de ses attaches les plus
naturelles, comme de son maître même, qui ne veut pas
d'imitation servile, ni d'éducation qui n'ait pas pour but de
se supprimer. Ce qu'aime le disciple de Ménalque dans
Nathanaël, ce n'est pas une complaisante et flatteuse ressemblance, c'est ce qu'il a de plus personnel, de plus *secret,*
de plus *irressemblable...* :

*Nathanaël, jette mon livre ; ne t'y satisfais point. Ne crois
pas que ta vérité puisse être trouvée par quelque autre ; plus que
de tout, aie honte de cela. Si je cherchais tes aliments, tu n'aurais
pas de faim pour les manger ; si je te préparais ton lit, tu n'aurais
pas sommeil pour y dormir.*

*Jette mon livre ; dis-toi bien que ce n'est là qu'une des mille
postures possibles en face de la vie. Cherche la tienne. Ce qu'un
autre aurait aussi bien fait que toi, ne le fais pas. Ce qu'un autre
aurait aussi bien dit que toi, ne le dis pas, aussi bien écrit que
toi, ne l'écris pas. – Ne t'attache en toi qu'à ce que tu sens qui
n'est nulle part ailleurs qu'en toi-même, et crée de toi, impa-
tiemment ou patiemment, ah ! le plus irremplaçable des êtres.*

Or, avant qu'elle ne lui devînt, à lui aussi, précieuse, c'est
déjà cette volonté de rompre toutes les amarres pour ne se
consacrer qu'au culte de soi-même, qui avait séduit Gide dans
Un homme libre, lu dans l'hiver 1889-90 ; mais Barrès avait,

ensuite, évolué en telle sorte que l'auteur des *Nourritures terrestres* le retrouva sur son chemin, en adversaire cette fois : 1897 est l'année des *Nourritures* et des *Déracinés*... L'égotiste de *Sous l'œil des Barbares* et d'*Un homme libre*, fasciné par l'omniprésence de la mort dont il savait d'instinct, en toute chose vivante, savourer le goût naissant, avait pris conscience du caractère périssable de ce Moi qui jusqu'alors, s'il ne l'admirait pas *tout d'une pièce*, lui plaisait infiniment... Épouvanté de se savoir mortel, et pour tout à la fois céder et échapper à ce vertige, Barrès avait inséré le Moi dans le réseau nombreux et confortable de tous les conditionnements qui situent, soutiennent et enracinent l'individu : famille, race, religion, patrie, terre... ; le support périssable de sensations fugitives qu'est le Moi se découvrait « échelonné sur des siècles » et s'enrichissait de la jouissance de « tous les battements dont fut agité le cœur de sa race ». La perspective de Gide, nous l'avons déjà évoquée, est tout autre : dans son article de 1898 sur *les Déracinés*, il s'élevait contre la thèse du livre, citant d'abord Nordau : « Dans une situation où il se trouve souvent et qui pour beaucoup est la même, l'organisme agit d'une façon banale ; dans une situation qui s'offre à lui pour la première fois, il fera preuve d'originalité, s'il ne peut y échapper » ; enraciner l'individu dans sa terre et dans ses morts, c'est donc l'étouffer, mutiler ses ailes naissantes : *Faute d'être appelées par* de l'étrange *les plus rares vertus pourront rester latentes ; irrévélées pour l'être même qui les possède, n'être pour lui que cause de vague inquiétude, germe d'anarchie.* Aussi faut-il que l'individu se déracine, que l'enfant quitte ses parents, son foyer... Ménalque n'aime que l'Enfant prodigue :

Familles, je vous hais ! foyers clos ; portes refermées ; possessions jalouses du bonheur. — Parfois, invisible de nuit, je suis resté penché vers une vitre, à longtemps regarder la coutume d'une maison. Le père était là, près de la lampe ; la mère cousait ; la place d'un aïeul restait vide ; un enfant, près du père, étudiait ; — et mon cœur se gonfla du désir de l'emmener avec moi sur les routes.

... Et si le Prodigue revient et reprend ses chaînes, ne pouvant

détacher son regard du *jardin où sont couchés nos parents morts*, comme dans le traité gidien de 1907, c'est le puîné qui partira, lourd des espoirs du Prodigue qui a *failli*, qui a voulu *s'arrêter, s'attacher enfin quelque part...* Car le Prodigue a péché par faiblesse, et la doctrine du déracinement est faite pour les forts, *elle supprime les faibles*, constate tristement Marceline dans *l'Immoraliste ;* ce n'est point par hasard qu'on peut être frappé des résonances nietzschéennes de cette chronique consacrée aux *Déracinés :* c'est l'époque où Gide nourrit ses affinités naturelles avec un nietzschéisme déjà diffus dans certains milieux littéraires en lisant méthodiquement l'auteur d'*Ainsi parlait Zarathoustra* [1]. L'immoralisme, l'*état nomade*, les faibles y agonisent, *le fort en est fortifié*.

Déraciné, libéré des lois et des décalogues *(Commandements de Dieu, vous avez endolori mon âme. Commandements de Dieu, serez-vous dix ou vingt ? Jusqu'où rétrécirez-vous vos limites ?* regimbent *les Nourritures)*, l'homme sage vit sans morale, selon sa sagesse. *Nous devons essayer d'arriver à l'immoralité supérieure*. C'est déjà la *sagesse de Gœthe*, l'équilibre original et personnel entre les dieux de l'Olympe intime, *l'harmonie qui n'exclut pas la dissonance*. Car la liberté n'est pas seulement l'absence de contrainte, elle est la prise de conscience par l'individu de sa précieuse particularité, de sa *personnalité*, et ce n'est pas une exigence facile : Prométhée, dans la *sotie* de 1899, s'en rend bien compte qui, lorsqu'il eut éprouvé *que les chaînes, tenons, camisoles, parapets et autres scrupules, somme toute, l'ankylosaient* au haut du Caucase, osa étirer son bras droit et, étant libre, descendre *entre quatre et cinq heures d'automne* le boulevard qui mène de la Madeleine à l'Opéra ; dans la conférence qu'il prononce, *salle des Nouvelles Lunes*, il explique que chaque homme porte en lui *quelque chose d'inéclos*, l'œuf de son aigle particulier, et que sa tâche d'homme est de le faire éclore, et d'alimenter son aigle de sa propre substance :

1... mais non pas le *Zarathoustra* même, qui lui fut toujours *insupportable : Le livre m'est tombé des mains chaque fois que j'ai voulu le reprendre (alors que les autres livres de Nietzsche m'émerveillent sans cesse à neuf) et je ne pense pas en avoir lu, en comptant toutes les reprises, plus de 10 pages.*

... je vous dis ceci : l'aigle de toute façon, nous dévore, vice ou vertu, devoir ou passion ; cessez d'être quelconque, et vous n'y échapperez pas. Mais...

(Ici la voix de Prométhée disparut presque dans le tumulte) – mais si vous ne repaissez pas avec amour votre aigle, il restera gris, misérable, invisible à tous et sournois ; c'est lui qu'alors on appellera conscience, indigne des tourments qu'il cause ; sans beauté. – Messieurs, il faut aimer son aigle, l'aimer pour qu'il devienne beau ; car c'est parce qu'il sera beau que vous devez aimer votre aigle...

Dépérir soi-même pour que l'aigle croisse et embellisse, c'est *manifester* sa personnalité, répondre à sa vocation particulière, en un mot croire à son élection – comme Gide y croyait dès son enfance (*N'as-tu donc pas compris que je suis élu ?* criait-il angoissé à sa mère...). Mais c'est aussi se sacrifier à un idéal, à son œuvre : Gide en est à ce point de sa conquête de la liberté...

Les Nourritures terrestres
Illustration de Galanis

vec *l'Immoraliste*, achevé en octobre 1901, une période de la vie d'André Gide prend fin, période littérairement très riche puisqu'en dix années c'est *André Walter, Narcisse, le Voyage d'Urien, Paludes, les Nourritures, le Prométhée*, d'autres *traités* encore, et *Saül*, et *le Roi Candaule* qui ont vu le jour, sans compter la matière de deux volumes d'essais et de critiques. Vers 1900 – *l'Immoraliste* n'étant d'ailleurs que le témoignage longtemps mûri d'une étape révolue – Gide semble avoir mené à maturité ce qui devait d'abord éclore en lui et, en quelque sorte, épuisé sa première révolte. Après la publication, bien discrète, de ce parfait récit *(Pourquoi je tire l'Immoraliste à trois cents exemplaires ?... Pour me dissimuler un tout petit peu ma mévente)*, il va connaître un long temps d'apathie, sinon de stérilité ; il sent approcher la quarantaine, et éprouve douloureusement *cette affreuse vieillissure :* fatigue, insomnies, *détresse – égarement*, le *Journal* reflète tous ces symptômes d'une phase de crise, ou du moins d'indétermination, d'indécision sur la voie à emprunter désormais... Le terme en sera marqué, non point tant par ce *Retour de l'enfant prodigue* (1907) déjà contenu dans *les Nourritures*,

Eau-forte de Blake (pour le Livre de Job).

que par *la Porte étroite* (1909). Sept ans après *l'Immoraliste*, pouvait-il y avoir rien de plus différent et qui laissât mieux douter si Gide ne brûlait pas désormais ce que naguère il adorait ?

Pourtant, comme de *l'Immoraliste*, la matière en était encore très largement autobiographique. Après avoir raconté l'affranchissement de son âge d'homme, Gide puisait au plus secret de son adolescence : pour écrire l'histoire de l'amour d'Alissa Bucolin et de Jérôme, il n'avait pas fait appel au seul souvenir des décors normands de leur enfance, de leur famille, à lui et à Madeleine Rondeaux, mais aussi à celui de leurs entretiens intimes, au texte même de leurs lettres – depuis lors conservées dans le tiroir de certain secrétaire... N'en concluons pas qu'il n'y a là, hormis le dénouement, aucune invention et qu'Alissa est Madeleine : ... *quelle erreur*, écrit Gide dans Et nunc manet in te, *commettrait celui qui croirait que j'ai tracé son portrait dans ma* Porte étroite ! *Il n'y eut jamais rien de forcé ni d'excessif dans sa vertu.* Mise en garde précieuse à double titre : preuve, d'une part, qu'il y avait là fiction et non point simple monument du souvenir, donc témoignage d'une inflexion nouvelle de la pensée gidienne ; preuve, d'autre part, qu'il jugeait sévèrement ce dépassement mystique de l'amour humain qu'il avait décrit dans son roman. Ce, dix ans après (en 1918) ; mais, dans cette période trouble de 1901-1908 ?

Cousins, camarades d'enfance, Alissa et Jérôme ont l'un et l'autre senti que leur tendresse était devenue amour ; mais l'amour de Jérôme, quoique tout pénétré d'élévation religieuse, a grandi *humainement* et ne tend qu'à la réalisation de leur bonheur, au mariage ; celui d'Alissa, comme hypothéqué par la découverte du péché de sa mère, la belle créole Lucile Bucolin, par la conscience d'un mal, d'une offense à Dieu qu'il lui faut racheter, l'amour d'Alissa tend au contraire au renoncement terrestre, à la réalisation d'une vertu conçue comme la résistance à son propre bonheur : ayant su l'amour que sa sœur Juliette porte aussi à Jérôme, elle se contraint à celer ses propres sentiments à celui-ci pour laisser la voie libre au mariage de Juliette avec son cousin ; ce mariage

A Paris, rue Laugier, chez les Van Rysselberghe

n'aura pas lieu, mais la décision d'Alissa est au-delà, définitive :
elle mourra, tendue vers une joie supérieure, un absolu qui
aura fait le désespoir de Jérôme et d'elle-même, déchirée
jusqu'au dernier instant entre son amour et ce qui la pousse
à en faire le sacrifice.

Pauvre Jérôme ! écrit-elle dans son Journal. *Si pourtant il
savait que parfois il n'aurait qu'un geste à faire, et que ce geste
parfois je l'attends...*

*Lorsque j'étais enfant, c'est à cause de lui déjà que je souhaitais
d'être belle. Il me semble à présent que je n'ai jamais « tendu à la
perfection » que pour lui. Et que cette perfection ne puisse être
atteinte que sans lui, c'est, ô mon Dieu ! celui d'entre tous vos
enseignements qui déconcerte le plus mon âme.*

*Combien heureuse doit être l'âme pour qui vertu se confondrait
avec amour ! Parfois je doute s'il est d'autre vertu que d'aimer,
d'aimer le plus possible et toujours plus... Mais certains jours,
hélas ! la vertu ne m'apparaît plus que comme une résistance à*

113

l'amour. Eh quoi ! oserais-je appeler vertu le plus naturel penchant de mon cœur ! O sophisme attrayant ! invitation spécieuse ! mirage insidieux du bonheur !

Avec l'héroïne de sa *Porte étroite*, Gide tente une expérience – dont il faut voir qu'elle s'articule sur sa tâche, préalablement accomplie, de libération individuelle : Alissa est aussi une Prodigue qui quitte tout ce qui la lie, tout ce qui la contenterait, l'arrêterait, l'*attacherait ;* elle aspire à un absolu *qu'elle n'atteindra pas :*

> *Et je me demande à présent si c'est bien le bonheur que je souhaite ou plutôt l'acheminement vers le bonheur. O Seigneur ! Gardez-moi d'un bonheur que je pourrais trop vite atteindre ! Enseignez-moi à différer, à reculer jusqu'à Vous mon bonheur.*
>
> *(...) Si bienheureux qu'il soit, je ne puis souhaiter un état sans progrès. Je me figure la joie céleste non comme une confusion en Dieu, mais comme un rapprochement infini, continu... et si je ne craignais de jouer sur un mot, je dirais que je ferais fi d'une joie qui ne serait pas* progressive.

Si elle est bien gidienne, cette janséniste et *étrange passion de se priver*, ainsi que l'appelait Jacques Rivière, n'est guère admissible comme chrétienne conception de la sainteté, et sa critique n'est plus à faire. Paul Archambault, en une formule heureuse de son *Humanité d'André Gide*, en a discerné la précise faiblesse : *On craint*, écrit-il, *de voir chez Alissa plus de peur de la terre que d'attirance du ciel...* Gide lui-même définit plus tard son récit *la critique d'une certaine tendance mystique. Expérience*, donc, expérience d'un absolu dont certains ont été jusqu'à dire qu'il n'était chrétien qu'accidentellement, parce qu'en somme « c'était une des formes de la tentation de l'absolu que Gide connaissait le mieux » (G. Brée). Il est néanmoins difficile de nier que ces vertus, ces aspirations d'âme, pour *excessives* et *forcées* qu'elles fussent, Gide ne les ait décrites avec une émotion, une ferveur, une *sympathie* profondes et évidentes, et le même Archambault, qui voyait l'hérésie destructive d'Alissa, n'en conclut pas moins : « A cette heure, en ce lieu, Gide, de tout son cœur, se retrouve sous l'obédience de valeurs chrétiennes : délicatesse de la conscience et du cœur, vie offerte et donnée, souci

adeleine Gide, à Cuverville.

et service des autres, élan vers l'infini, pressentiment d'un mystère qui serait une illumination et d'une apparente immolation qui serait le vrai salut. »

« A cette heure », en effet, on parle – et on écrit – de plus en plus d'un Gide inquiet, tourmenté, « tyranniquement hanté par une foi, ou le regret d'une foi », disent même certains, et le *Journal* exprime ce désarroi, quoique avec plus de réticences et de prudence que les cœurs enthousiastes qui entourent alors Gide et semblent le précéder, en un long cortège, sur le chemin d'une conversion « dans les règles » au catholicisme. Claudel, lui, aidé par Rimbaud, a depuis longtemps reçu la grâce de la Foi ; mais Jammes, le bon faune d'Orthez, éclairé par Claudel, se convertit en 1905 ; mais Pierre Dupouey, cet officier de marine entré avec *les Nourritures* dans le sillage de Gide, en 1915, avant de mourir au front, et peu après Henri Ghéon, le vieux compagnon [1] ; et plus tard Jacques Copeau, et Charles Du Bos, et Paul-Albert Laurens, qui jadis à Biskra... Dans sa famille, son instable cousine Valentine... ; Madeleine même, au dire de témoins aussi désintéressés que Jean Schlumberger, semblait incliner au catholicisme... Jacques Rivière, le « plus gidien que Gide », hésitait... Tant y a qu'en 1917-1918, la conversion d'André Gide était au premier plan de « l'actualité littéraire ». Le *Journal* de 1929 l'avouera : *Je ne jurerais pas qu'à certaine époque de ma vie je n'aie pas été assez près de me convertir.* Sans doute, il est difficile de préciser à quel moment il en fut le plus près ; mais de ces années de guerre, où il

---

1. Ce qu'avait été pour Gide jusqu'à la guerre le docteur Vangeon, de Bray-sur-Seine, alias Henri Ghéon, lui-même le dit à Léon Pierre-Quint en 1927 : « Dès que nous nous sommes connus, je suis parti avec lui pour l'Algérie, plusieurs fois, puis en Italie, en Espagne, en Grèce, et l'année même de la guerre, en Asie Mineure. Pendant vingt ans, je l'ai accompagné dans tous ses voyages, partout... (Sourire de Ghéon). A Paris, nous sortions toujours ensemble : théâtre, expositions, banquets, sorties qui se prolongeaient souvent la nuit. Jusqu'à 4 ou 6 heures du matin (en attendant mon train pour Bray-sur-Seine), nous errions autour des Halles, dans des petits cafés louches, au milieu des marlous et des filles, avec des garçons, à qui la jeunesse donnait la beauté, vendeurs de drogue parfois ou repris de justice... Le danger nous excitait. Nous ne nous quittions pas. Je crois que Gide cherchait en moi ce qui lui faisait le plus défaut : un certain allant ; bouillonnement, force, santé, franchise et je l'avoue, hardiesse dans la réalisation des désirs. Époque de dérèglement, de honteuse et folle dissipation ! Nous avons eu des mardis gras mémorables, où nous nous promenions jusqu'à l'aube costumés en pénitents, masqués par des cagoules... »

Chez Jacques Copeau, à Jersey (1907).

passa d'abord le plus clair de son temps au service de son prochain dans la détresse (c'est-à-dire au Foyer franco-belge d'aide aux réfugiés), un témoignage demeure, bref mais lourd de sens : le petit « carnet de toile verte » de 1916, grossi de deux pages en 1917 et 1919, journal de ses préoccupations religieuses, que, sur la requête de Charles Du Bos, il consentit à publier en 1922 : *Numquid et tu... ?*

1916 fut une année entre toutes pénible pour Gide ; surmené par son activité au Foyer, il connaissait un désarroi profond, s'exténuant sans cesse dans une lutte contre le vieux démon de son enfance, la masturbation, qui reprenait empire sur lui, avec son cortège de pensées troubles et de mauvaise conscience ; le *Journal* de cette année n'exhale que des gémissements sans courage :

Hier soir j'ai cédé ; comme on cède à l'enfant obstiné – « pour avoir la paix ». Paix lugubre ; assombrissement de tout le ciel... (23 janvier).

Hier, rechute abominable, qui me laisse le corps et l'esprit dans un état voisin du désespoir, du suicide, de la folie... C'est la roche de Sisyphe qui retombe tout au bas du mont dont il tentait de gravir la pente, qui retombe avec lui, roulant sur lui, l'entraînant sous son poids mortel et le replongeant dans la vase. Quoi ? Va-t-il falloir encore et jusqu'à la fin recommencer cet effort lamentable ? (15 octobre).

De plus, de mai à septembre, un trou dans le *Journal :* Gide l'a abandonné, après en avoir arraché une vingtaine de pages qui *reflétaient une crise terrible où Madeleine s'était trouvée mêlée ; ou, plus exactement, dont Madeleine était l'objet* (15 septembre). Un hasard a mis Madeleine au courant, et avec précision, des mœurs de son mari, de ce qu'il allait chercher naguère encore dans ses sorties avec Ghéon... On comprend qu'ait jailli de ce déplorable marasme le besoin d'une méditation spirituelle suivie, d'un *ressourcement ;* méditation commencée dans l'humilité la plus vraie, la *simplicité* d'âme la plus émouvante :

Seigneur, je viens à vous comme un enfant ; comme l'enfant que vous voulez que je devienne, comme l'enfant que devient celui qui s'abandonne à vous. Je résigne tout ce qui faisait mon orgueil et qui, près de vous, ferait ma honte. J'écoute et vous soumets mon cœur.

L'Évangile est un petit livre tout simple, qu'il faut lire tout simplement. Il ne s'agit pas de l'expliquer, mais de l'admettre. Il se passe de commentaires et tout effort humain pour l'éclairer, l'obscurcit. Ce n'est pas aux savants qu'il s'adresse ; la science empêche d'y rien comprendre. On y accède avec la pauvreté d'esprit.

Et, tout simplement, André Gide cherche à ressaisir le sens originel des paroles du Christ, en deçà des interprétations – en deçà, cela surtout est évident, des restrictions, commandements et défenses surajoutés, selon lui, par saint Paul : *Ce n'est jamais au Christ, c'est à saint Paul que je me heurte...*

Sans que *Numquid et tu... ?* soit l'embryon de ce *Christianisme contre le Christ* longtemps projeté (dès 1895) mais jamais écrit, il est certain que la vie évangélique telle que Gide la conçoit est une sorte d'innocence pré-paulinienne, d'avant l'Église, sans règles ni dogme, fondée sur la seule inspiration de l'Amour et de la conscience individuelle : *Non pas la loi : la grâce. C'est l'émancipation dans l'amour, – et l'acheminement par l'amour vers une obéissance exquise et parfaite. (...) Pour moi, étant autrefois sans loi, je vivais ; mais quand le commandement vint, le péché reprit vie, et moi je mourus. (...) Si l'on accorde que la loi précède la grâce, ne peut-on admettre un état d'innocence précédant la loi ? (...) Oh ! parvenir à cet état de seconde innocence, à ce ravissement pur et riant.* Et lorsqu'à plusieurs reprises il insiste sur le *et nunc,* dès à présent, de l'Évangile, situant ici-bas le bonheur, la *félicité supérieure* qui y est promise, c'est qu'il retrouve cette conception de la joie immédiate, instant d'éternité, qui était déjà celle des *Nourritures* – dont cette phrase ne pourrait-elle être extraite : *C'est dans l'éternité que dès à présent il faut vivre. Et c'est dès à présent qu'il faut vivre dans l'éternité ?* En toute simplicité, et en toute bonne foi, Gide a cédé à sa pente, « la pente irrésistible de cet esprit, observait justement Charles Du Bos, à faire rendre à chaque texte qu'il traduit, cite ou commente, la parcelle de *gidisme* virtuel que ce texte peut receler ».

Loin d'être un reniement, et encore moins le prélude à une adhésion, à une soumission à l'Église, *Numquid et tu... ?* témoigne d'un christianisme aussi... hétérodoxe que l'était celui des *Nourritures terrestres* et de *l'Enfant prodigue,* ou celui d'Alissa. Dans une forme certes plus mystique, il n'affirmait toujours qu'un humanisme intégral, refusant une conversion, un *choix* qui, pour lui, était mutilation et tricherie. Ce n'est qu'en se plaçant hors de lui-même, en dramatisant *de l'extérieur* son propre cas, comme l'eût fait un catholique, un homme « qui a choisi », que Gide pouvait imaginer ce dialogue entre Gide et Dieu :

Penses-tu que cette chair pourrie, d'elle-même va se détacher de toi ? Non ; si toi tu ne te détaches point d'elle.

— *Seigneur ! sans votre opération elle me pourrira d'abord tout entier. Non, ce n'est pas l'orgueil ; vous le savez ! Mais votre main, pour la saisir, je voudrais être moins indigne. Ma fange ainsi la tachera plutôt que ne me blanchira Sa lumière...*

— *Tu sais bien...*

— *Pardon, Seigneur ! oui, je sais que je mens. Le vrai c'est que, cette chair que je hais, je l'aime encore plus que Vous-même. Je meurs de n'épuiser pas son attrait. Je vous demande de m'aider, mais c'est sans renoncement véritable...*

— *Malheureux qui prétends marier en toi le ciel et l'enfer. On ne se donne à Dieu que tout entier.*

Comment ne pas voir que c'est pour éviter toute méprise à l'endroit de cet opuscule qu'il en décida la seconde édition, un peu moins discrète que la première (2 650 exemplaires, au lieu des 70, anonymes, sans lieu ni date, de 1922), pour 1926, c'est-à-dire à peu près concomitante de celles de *Corydon*, de *Si le grain ne meurt* et des *Faux-Monnayeurs ?...* Certes, il s'est senti plus proche de l'Évangile, et ce n'est pas par hasard que certains de ses disciples les plus chers ont rejoint l'Église ; mais quand lui-même y fut enclin, *Dieu merci, quelques convertis de mes amis y ont mis bon ordre. Ni Jammes, ni Claudel, ni Ghéon, ni Charles du Bos, ne sauront jamais combien leur exemple m'aura instruit* (*Journal* du 5 mars 1929). A dire les choses brutalement, que voit-on en effet que Claudel ait révélé à Gide, lors de son zèle convertisseur de 1905, si ce n'est qu'il lui eût fallu, à lui Gide, pour se convertir, renier, s'interdire, se définir, se limiter... ; de tout ce que Claudel rejetait dans les ténèbres, de cette littérature qu'il dévastait *à coups d'ostensoir*, le regret eût été intolérable.

Je n'ai jamais rien su renoncer, écrivait Gide en 1919 ; *et protégeant en moi à la fois le meilleur et le pire, c'est en écartelé que j'ai vécu. Mais comment expliquer que cette cohabitation en moi des extrêmes n'amenât point tant d'inquiétude et de souffrance, qu'une intensification pathétique du sentiment de l'existence, de la vie ? Les tendances les plus opposées n'ont jamais réussi à faire de moi un être tourmenté ; mais perplexe – car le tourment accompagne un état dont on souhaite de sortir, et je ne souhaitais point d'échapper à ce qui mettait en vigueur toutes*

Avec Ghéon, en Turquie.

les virtualités de mon être ; cet état de dialogue *qui, pour tant d'autres, est à peu près intolérable, devenait pour moi nécessaire.* C'est ce désir de tout connaître, de tout sentir (*Les extrêmes me touchent* fut l'épigraphe des *Morceaux choisis* de 1921), qui tout à la fois l'*attira* jusqu'au bord même du christianisme lorsque celui-ci lui apparaissait comme une aventure, et l'*empêcha* de s'y engager lorsqu'il n'y voyait qu'un système

Claudel

fermé ; et c'est ce qui fit la terrible déception de Claudel, ce *zélote* et ce *fanatique* comme il se qualifiait lui-même dans une lettre à Gide, et le conduisit à cette haine tenace et puérile qui procurait au Gide des dernières années une maligne joie... Toute conversion apparut bientôt à l'auteur de *Numquid et tu... ?* comme un suicide partiel, ou une inexcusable lâcheté ; il confiera à son *Journal*, en 1933 : *Il n'est pas une de ces conversions où je ne découvre quelque inavouable motivation secrète : fatigue, peur, déboire, impuissance sexuelle ou sentimentale.*

Il n'y eut cependant pas que les convertis pour détourner Gide du Dieu qu'il semblait avoir *reconnu :* un autre personnage était là, *un acteur important*, si visible, si familier, si peu mystérieux, que son nom apparaissait de plus en plus souvent aux pages du *Journal*, et que même il eut l'honneur de *Feuillets* joints, dans le *Journal* de la Pléiade, à *Numquid et tu... ?* – auquel ils sont quelque peu antérieurs : *J'avais entendu parler du Malin ; mais je n'avais pas fait sa connaissance...*

« Conversation avec le diable »

... Il m'habitait déjà, que je ne le distinguais encore pas. Mais à présent, il le reconnaissait et l'identifiait, personnage vivant, *principe positif, actif, entreprenant* – fort éloigné des diableries littéraires et allégoriques de *Saül*. Enfantine mythologie ?

– Permettez ; permettez ; mais moi non plus, je n'y crois pas au diable ; seulement, et voilà ce qui me chiffonne : tandis qu'on ne peut servir Dieu qu'en croyant en Lui, le diable, lui, n'a pas besoin qu'on croie en lui pour le servir. Au contraire, on ne le sert jamais si bien qu'en l'ignorant. Il a toujours intérêt à ne pas se laisser connaître ; et c'est là, je vous dis, ce qui me chiffonne : c'est de penser que, moins je crois en lui, plus je l'enforce...

Il sait qu'il ne se cache nulle part aussi bien que derrière ces explications rationnelles, qui le relèguent au rang des hypothèses gratuites. Satan ou l'hypothèse gratuite ; ça doit être son pseudonyme préféré...

(...) Je voudrais un jour écrire une... oh! je ne sais comment dire – ça se présente à mon esprit sous une forme de dialogue, mais il y aurait autre chose encore... enfin, ça s'appellerait peut-être « Conversation avec le diable » – et savez-vous comment cela commencerait ? J'ai trouvé sa première phrase ; la première à lui faire dire, vous comprenez ; mais pour trouver cette phrase il faut le connaître déjà très bien... Je lui fais dire d'abord : – Pourquoi me craindrais-tu ? Tu sais bien que je n'existe pas.

Cercle vicieux, comme on voit, d'où Gide s'échappe en se bornant à constater que, l'action du diable admise, *tout s'éclaire* – *tout l'inexplicable, tout l'incompréhensible, toute l'ombre de (sa) vie.* Il lui apparaît en 1916 que, dans le dialogue qu'il croyait poursuivre depuis un quart de siècle avec lui-même, pour définir *sa* voie et pour s'y oser aventurer, c'est le Malin, *le Raisonneur* qui parlait et l'exhortait :

Comment ce qui t'est nécessaire ne te serait-il pas permis ? Consens à appeler nécessaire ce dont tu ne peux pas te passer. Tu ne peux te passer de ce dont tu as le plus soif. Consens à ne

*plus appeler péché ce dont tu ne peux te passer. Une grande force
te viendrait, ajoutait-il, si plutôt que de t'user à lutter ainsi
contre toi-même, tu ne luttais plus que contre l'empêchement du
dehors. Pour celui qui apprit à lutter, il n'est empêchement qui
tienne. Va, sache triompher enfin de toi-même et de ta propre
honnêteté. Ne t'ai-je pas appris à reconnaître une habitude
héréditaire dans ta droiture et la simple prolongation d'un élan ;
de la timidité, de la gêne, dans ta pudeur ; moins de décision que
de laisser-aller, dans ta vertu... ?*

A-t-on jamais mieux décrit ce qui fait le fond de la démarche
gidienne, devenue consciente à partir de 1916, ce long effort
pour accorder la morale à sa nature particulière (car *je n'acceptais point*, écrit-il en 1919 dans la deuxième partie de *Si le
grain ne meurt, de vivre sans règles, et les revendications de ma
chair ne savaient se passer de l'assentiment de mon esprit*),
non pas en naturalisant la morale, mais en cherchant à
« moraliser la nature », suivant la judicieuse formule de René
Schwob dans son *Vrai Drame d'André Gide*. Mais, admettre
le caractère démoniaque de cette attitude, n'est-ce donc
pas parler en chrétien ? n'est-ce pas vérifier ce que dit à
Gide, un soir de septembre 1914 où ils avaient à Cuverville
causé interminablement de morale et de religion, son jeune ami
Jacques Raverat : que la foi en Satan précède, entraîne,
implique la foi en Dieu ?... Oui – mais à condition de haïr
ce diable auquel on croit : or, déjà en 1914, Gide répondait
qu'il n'était *pas bien sûr de le détester*. Et bien loin de le
haïr de la façon orthodoxe qui consiste à ne voir dans son
action, le Mal, qu'une absence, un manque, un trou dans
l'étoffe du Bien qui seul détient l'être, il reconnaît au Mal
une existence positive et une valeur, rivales de celles du Bien.
Pour un catholique, les Ténèbres, et leur Prince, ne sont
qu'un affaiblissement de la Lumière, un néant, donc quelque
chose de stérile ; *l'action* de Satan n'est que la part d'échec,
d'imperfection que le dessein de Dieu rencontre dans le
monde des hommes : « le mal, ça ne compose pas », s'écriait
Claudel, précisément à propos de Gide. C'est ce que Gide,
lui, n'admettait point. Simultanément, il prit conscience
du rôle joué jusque-là par Satan dans sa vie, et du profit

qu'il retirait à son commerce, à laisser dialoguer en lui Satan et Dieu dans l'éclairage critique le plus libéral... Rejeter Satan au néant, c'eût été faire tarir le dialogue, *arrêter* l'homme, le faire pourrir sur place – supprimer l'œuvre d'art : *Il n'y a pas d'œuvre d'art sans collaboration du démon*, lit-on dans le *Dostoïevsky*. Or, quoi de plus important que l'œuvre d'art ? *Le point de vue esthétique est le seul où il faille se placer pour parler de mon œuvre sainement*, écrit Gide en 1918, et il ajoute, six mois plus tard : *C'est du reste le seul point de vue qui ne soit exclusif d'aucun des autres*, donnant ainsi la clef de son attitude : l'homme doit se rendre libre pour *manifester*, c'est-à-dire s'exprimer, transformer en œuvre d'art sa propre substance, comme Prométhée nourrissait son aigle, et cette substance est faite de ses débats moraux ; Gide le disait déjà, négligemment, à son interviewer fictif de *l'Ermitage*, en 1905 :

   – *... Les questions morales vous intéressent ?*
   – *Comment donc ! L'étoffe dont nos livres sont faits !*
   – *Mais qu'est-ce donc, selon vous, que la morale ?*
   – *Une dépendance de l'Esthétique. Au plaisir de vous revoir, monsieur.*

Là est le véritable *satanisme* de Gide, du moins celui qu'il a lui-même revendiqué... Ce n'est en somme que le nom le plus pathétique de son exigence de *sincérité totale :* Satan est pour lui, non point seulement la puissance ennemie de Dieu, mais l'adversaire de toute religion, de toute morale établies, c'est-à-dire de tout système clos, sans progrès, sans liberté possible, de toute doctrine constituée qui rend nécessairement l'homme qui s'y soumet insincère, hypocrite : admettre une religion ou une morale, c'est en effet laisser quelque chose d'extérieur à soi hiérarchiser en soi tous ses possibles, ou plus exactement faire avorter les uns pour en favoriser, arbitrairement, d'autres : en un mot, sacrifier son moi véritable et original pour donner vie à un moi artificiel et standardisé.

De là, qu'à partir des *Caves du Vatican* (1914) l'œuvre de Gide est essentiellement militante, en lutte contre l'hypocrisie : tous les personnages de la *sotie* sont des sots, des maniaques, morts-vivants prisonniers de leurs systèmes –

CHAPITRE IV

DEVANT le Mausolée d'Adrien, qu'on
appelle Château Saint-Ange, Fleurissoire éprouva une âcre déconvenue.
La masse énorme de l'édifice s'élevait au
milieu d'une cour intérieure, interdite au
public, et dans laquelle seuls les voyageurs
munis de cartes pouvaient entrer. Même il était
spécifié qu'ils devaient être accompagnés d'un
gardien...

Certes ces précautions excessives confir-
maient les soupçons d'Amédée ; mais aussi

Jean Meyer et Chamarat dans la farce jouée au Français en 1950.

d'Anthime Armand-Dubois, le mécréant, au bigot Amédée
Fleurissoire. Le sujet est de grosse farce, inspiré d'un fait
divers réel et rocambolesque, mais l'anecdote importe peu,
et ses vertus anticléricales (encore que Gide y ait certes pris
plaisir, et que le succès du livre leur soit dû en partie) sont
secondaires : il ne s'agit que de faire rire, et que ce rire, comme
celui que déclenchaient les soties médiévales, soit libérateur.
La scène n'est habitée que par des fantoches, à l'exception
de celui qui apparut le héros gidien par excellence : Lafcadio.
Le jeune bâtard de Baraglioul (on sait la prédilection de Gide
pour les bâtards, ces personnages sans famille, allégés de
tout le poids d'une hérédité ignorée), sans complaisance envers
lui-même, recueille en effet toutes les complaisances de son
auteur : il est la liberté et la sincérité mêmes ; c'est lui qui
réalise ce qu'appelait déjà *le Prométhée :* une action gratuite.

...otos à Fleurissoire : Quoi ! vous aussi vous le cherchez !
...u-forte de Laboureur (édition de 1930).

ANDRÉ GIDE

Et comprenez qu'il ne faut pas entendre là une action qui ne rapporte rien, car sans cela... Non, mais gratuit : un acte qui n'est motivé par rien. Comprenez-vous ? intérêt, passion, rien. L'acte désintéressé ; né de soi ; l'acte aussi sans but, donc sans maître ; l'acte libre ; l'Acte autochtone ?

En projetant hors du wagon qui les emmenait de Rome à Naples le pauvre Fleurissoire, simplement *parce qu'*il n'a pu compter jusqu'à douze sans voir un feu dans la campagne nocturne, Lafcadio a commis *l'acte libre,* l'acte qui échappe à tout déterminisme, l'acte dont il est l'unique et véritable cause ; et, observe le romancier Baraglioul au cours d'un curieux dialogue avec Lafcadio, *aucune raison pour supposer criminel celui qui a commis le crime sans raison* : nous sommes au-delà de la morale. Dès longtemps, Gide avait été fasciné par l'*inexplicable* en psychologie, par ces actes brusques, que rien ne

Les Caves du Vatican, *au Français.*

semble annoncer ni motiver, ces actes « désintéressés » qui, peut-être, plongent jusqu'au plus obscur de l'âme... C'est ce qu'il avait trouvé chez Dostoïevsky, c'est aussi ce qui le poussera, en 1926, à ouvrir dans la *N. R. F.* une *Chronique des faits divers* où l'on voulut évidemment reconnaître le goût d'un tempérament morbide, alors qu'il ne s'agissait pour Gide que de lutter encore contre la suffisance naturelle de l'esprit, qui tend à expliquer et à *ramener aux banales notions d'une psychologie rudimentaire et acceptée, des faits à peu près incompréhensibles, du moins dans l'état actuel de la science psychologique, en tout cas profondément déroutants.* Beaucoup plus que des *Souvenirs de la cour d'assises* de 1914, qui mettent l'accent sur les défauts du système judiciaire, les deux volumes de documents qu'il rassemblera en 1930, *l'Affaire Redureau* et *la Séquestrée de Poitiers*, sont à rapprocher du *Dostoïevsky* et des investigations gidiennes sur les *terræ incognitæ* de la psychologie. On trouvera dans la première *Lettre sur les faits divers* la meilleure définition de l'acte de Lafcadio : *L'homme agit soit en vue de, et pour obtenir... quelque chose ; soit simplement par motivation intérieure ; de même celui qui marche peut se diriger vers quelque chose, ou simplement avancer sans autre but que de progresser, de « pousser de l'avant ».* Ainsi l'essentiel est-il pour Gide, qui cède à ce que M. Albérès appelait « la tentation du mauvais garçon », de dresser en face des « crustacés », c'est-à-dire des âmes sclérosées et affadies par la soumission aux traditions et aux dogmes, l'opposant le plus pur.

A quoi cela mène-t-il ? Eh bien... c'est la question ; Lafcadio découvre vite que s'il n'y a rien *avant* l'acte libre, il y a quelque chose *après* et que, pour avoir voulu affirmer sa liberté et sa sincérité en face de l'hypocrisie qu'est la Société constituée et fondée sur la Morale, il est tombé sous la coupe d'une autre société qui a aussi ses règles propres : c'est ce que son ami Protos, chef du « Mille-pattes », lui explique...

La vérité, et Gide la découvrira lui aussi en ces années essentielles, c'est que l'acte gratuit, s'il a une valeur en quelque sorte méthodologique, ne mène en fait nulle part ; après avoir jadis éprouvé qu'à vouloir être sincère on risque de se perdre dans un jeu de glaces où les images de soi-même s'évanouissent à l'infini, Gide éprouvera la vanité d'une recherche forcenée de la liberté... Dans *les Faux-Monnayeurs*, n'est-ce pas la critique de cette conception formelle de la liberté qu'il fera exposer, non sans un humour un peu grinçant, par son vieux La Pérouse ?

J'ai compris que ce que nous appelons notre volonté, ce sont les fils qui font marcher la marionnette, et que Dieu tire. Vous ne saisissez pas ? Je vais vous expliquer. Tenez : je me dis à présent : « Je vais lever mon bras droit » ; et je le lève. (Effectivement il le leva.) Mais c'est que la ficelle était déjà tirée pour me faire penser et dire : « Je veux lever mon bras droit... » Et la preuve que je ne suis pas libre, c'est que, si j'avais dû lever l'autre bras, je vous aurais dit : « Je m'en vais lever mon bras gauche... » Non ; je vois que vous ne me comprenez pas. Vous n'êtes pas libre de me comprendre... Oh ! je me rends bien compte, à présent, que Dieu s'amuse. Ce qu'il nous fait faire, il s'amuse à nous laisser croire que nous voulions le faire. C'est là son vilain jeu...

Tel est le point extrême de la révolte gidienne contre le Dieu de son enfance, au bout d'une recherche vertigineusement abstraite, et décevante, de Soi. Le temps approche où, las de ces vaines poursuites, Gide niera toute transcendance. Sa *conversation avec le diable* n'aura eu pour effet que d'illuminer le fonctionnement même de sa conscience : car, à examiner de près les textes où il admit l'existence du démon, observait Pierre Klossowski dans un article pénétrant, que Gide a d'ailleurs pu lire quelques mois avant sa mort, « on constate qu'il n'est question que d'une chose : le fait d'être dupe de ses propres raisonnements au cours des dialogues qui s'improvisent dans le for intérieur. Jamais le pacte avec le diable n'y est envisagé, et s'il est resté un mythe pour Gide, c'est qu'on ne fait pas de pacte avec une partie de soi-même, avec le double de soi[1]. En revanche, le diable est chez Gide un agent de dédoublement ».

---

1. C'est en ce sens qu'il faut lire la phrase tardive d'*Ainsi soit-il*, à laquelle Giovanni Papini fit un sort injustifié dans son essai sur *le Diable* : *Si je crois au Diable (j'ai fait parfois semblant d'y croire : c'est si commode !) je dirais que je pactise aussitôt avec lui.*

Pourtant, qu'est-ce qui fait que, manifestement, Gide hésite encore, et cela jusqu'après la sortie des *Faux-Monnayeurs*, qu'est-ce qui le *retient* ? Rien ne le peut, sinon ce qui, près de quarante années plus tôt, lui est apparu comme l'orient de sa vie : Madeleine..., dont il se sent de plus en plus éloigné, ayant désormais abandonné le vain espoir de la convaincre. *Il est certain que mon amour pour Madeleine a beaucoup retenu ma pensée...* Sans qu'il ait jamais consenti à changer à cause d'elle rien de ce qu'il croyait être sa mission particulière, et quoiqu'il ait été conduit à la laisser de plus en plus ignorante de sa vie, chaque pas en avant demeure pour lui d'autant plus difficile qu'il l'éloigne d'elle davantage. En 1916 déjà, une maladresse de Ghéon a été à l'origine de la première crise qui déchira profondément le ménage ; en 1918, le drame majeur éclate...

A la période de désarroi et d'écœurement de 1916 avait succédé, ainsi qu'il est naturel, une reprise éclatante de l'énergie vitale ; dans le *Journal* se multiplient à partir du 5 mai 1917 des notations de ce genre : *Merveilleuse plénitude de joie. (...) Mon ciel intérieur est plus splendide encore. (...) Joies ; équilibre et lucidité. (...) Immense étourdissement du bonheur. Ma joie a quelque chose d'indompté, de farouche, en rupture avec toute décence, toute convenance, toute loi. (...) Tout en moi s'épanouit, s'étonne ; mon cœur bat ; une surabondance de vie monte à ma gorge comme un sanglot. Je ne sais plus rien ; c'est une véhémence sans souvenirs et sans rides...* La raison de cet *état constant de lyrisme* renouvelé des *Nourritures* ? Gide ne la dissimule pas, ou sous de si légères gazes... : « l'unique préoccupation de *son* esprit et de *sa* chair », « la secrète occupation de *son* cœur », c'est un adolescent, que désignent tantôt le prénom de Michel (alors que Gide se prête celui de Fabrice), tantôt la simple initiale M. ou, parfois, le vrai prénom de Marc Allégret, le fils du pasteur Allégret, de longue date familier de Cuverville. Gide s'est peu à peu épris de l'enfant, à la formation et à l'éducation duquel il s'était intéressé, qu'il avait aidé à s'épanouir, à devenir lui-même : *Michel*, notait-il dans son *Journal* le 25 octobre 1917, *m'aime non tant pour ce que je suis que pour ce que je lui permets d'être.* Et dans *la Symphonie pastorale,* cette *Aveugle* dont il avait conçu le sujet dès 1893 mais qui est toute nourrie de l'expérience d'*éducation amoureuse* qu'il fit en 1917-18, Gide a bien décrit les nuances de cet amour naissant entre le pédagogue et son élève, entre l'aîné et le cadet : on comprend qu'il ait cru retrouver la sorte de plénitude que les Grecs attachaient à la relation pédérastique, lorsque s'y ajouta l'attrait physique, qu'il chante dans le *Journal :*

> *Certains jours cet enfant prenait une beauté surprenante ; il semblait revêtu de grâce et, comme eût dit alors Signoret, « du pollen des dieux ». De son visage et de toute sa peau émanait une sorte de rayonnement blond. La peau de son cou, de sa poitrine, de son visage et de ses mains, de tout son corps, était également chaude et dorée. (...) Rien ne dira la langueur, la grâce la volupté de son regard. Fabrice, durant de longs instants, perdait, à le contempler, conscience de l'heure, des lieux, du bien, du mal, des convenances et de lui-même. Il doutait si jamais œuvre d'art avait représenté rien de si beau. Il doutait si la vocation mystique de celui qui naguère l'accompagnait et le précédait au plaisir, eût tenu ferme, et sa résolution vertueuse, devant une invitation si flagrante, ou si, pour adorer pareille idole, l'autre ne se fût pas refait païen.*

Et, pour la première fois, Gide échappe à la dissociation de son cœur et de ses sens : il *aime* totalement – ou, du moins, la forme particulière que prend chez lui le désir amoureux s'adresse pour la première fois au même objet que la passion de son âme ; cela lui procure d'ailleurs de neuves sensations :

> *...avant-hier, et pour la première fois de ma vie, j'ai connu le tourment de la jalousie. En vain cherchais-je à m'en défendre. M(arc) n'est rentré qu'à 10 heures du soir. Je le savais chez C(octeau). Je ne vivais plus. Je me sentais capable des pires folies, et mesurais à mon angoisse la profondeur de mon amour.*

Au reste, nuances et péripéties de cet amour nourriront celui d'Édouard et d'Olivier dans *les Faux-Monnayeurs.*

Mais, pour la première fois aussi, Gide, infidèle à son angélisme premier, trompait Madeleine... Il dissimulait ce qui était pourtant sa préoccupation de tous les instants ; mais l'hypocrisie devenait vite étouffante, entamait son bonheur :

Avec André et Marc Allégret : Arcachon (1921).

*Il m'est odieux d'avoir à me cacher d'elle. Mais qu'y faire ?...
Sa désapprobation m'est intolérable ; et je ne puis lui demander
d'approuver ce que je sens que pourtant je dois faire.* Le 18 juin
1918, il part pour l'Angleterre, fuyant littéralement Cuverville
où, près de Madeleine, lui a-t-il jeté un jour cruellement,
il pourrissait... Et Madeleine sait qu'il emmène Marc. Le
drame n'éclatera que plusieurs semaines après son retour :
le 21 novembre, elle lui avouera qu'après les avoir « toutes
relues, une à une », elle a détruit toutes les lettres qu'il lui
avait écrites depuis leur enfance... Il y eut beaucoup de
larmes, mais peu d'explications : Gide sentait que la partie
était perdue. Désormais, ce serait entre eux le drame du
silence : *A force de silence nous sommes à peu près parvenus à
nous entendre,* fera-t-il dire beaucoup plus tard à un certain *X...*
De plus en plus, Madeleine se cloîtrera dans sa réserve,

1923. Avec Élisabeth Van Rysselberghe, Madame Théo,
Roger Martin du Gard et Catherine.

s'interdira de connaître la vie de son mari, et même de lire
ses œuvres, restreindra le nombre de ses confidentes ; lorsque
Gide aura vendu sa villa d'Auteuil, elle se retirera à Cuverville
qu'elle ne quittera plus, laissant son mari passer la plus grande
partie de l'année à Paris ; quand elle mourra, le dimanche
de Pâques 1938, rien ne sera dissipé de l'épais nuage – et
Gide ignorera encore si elle a jamais appris qu'en avril
1923, était née une petite Catherine, fille d'Élisabeth Van
Rysselberghe et de lui-même... Comment cela s'était-il
passé – ou plutôt, une discrétion élémentaire commandant
encore aujourd'hui de réserver ce point biographique,
que signifia pour Gide cette naissance ? Le *Journal* est
à peu près muet sur ce sujet ; mais l'on trouve, aux dernières pages d'un récit que Gide écrivit une dizaine d'années
plus tard, *Geneviève*, un curieux dialogue entre l'héroïne
et le vieil ami de la famille, le Docteur Marchant, qui semble
un aveu à peine transposé des conditions dans lesquelles
était née Catherine ; et, à en juger par là, on conçoit que Gide

134

n'ait pas pensé qu'il était *infidèle*, qu'il trompait Madeleine et blessait leur amour : il n'avait que prouvé qu'il n'était *pas incapable d'élan (je parle de l'élan qui procrée)* quand *rien d'intellectuel ou de sentimental*, c'est-à-dire quand nul amour ne s'y mêlait... Néanmoins, l'atmosphère conjugale ne pouvait qu'en être alourdie, l'impression d'hypocrisie, à Cuverville où la vie continuait comme si de rien n'était, rendue plus étouffante. Gide avait besoin d'air ; lui qu'avait jusqu'alors guidé la seule exigence de sincérité, il succombait sous les équivoques : mensonge et malaise à son foyer, malentendus dans le public, auquel il présentait, surtout depuis le bruit fait autour de sa « conversion », une figure de plus en plus fausse... Le moment était venu de courir les risques suprêmes, de faire fi de toutes les précautions, de ne se plus cacher, quoi qu'il lui en pût coûter : en 1924, ce sera *Corydon* offert au grand public ; en 1926, *Si le grain ne meurt, les Faux-Monnayeurs* et le *Journal des Faux-Monnayeurs*.

Le Grand Inquisiteur

Publications concertées, lentement décidées : *C.R.D.N.* avait d'abord été édité à 22 exemplaires en 1911, puis, remanié et augmenté, à 21 exemplaires en 1920 ; *Si le grain ne meurt*, à 13 exemplaires en 1920-21. De Gide, l'inquiétude de ses amis, les démarches de Maritain, de Du Bos, de Copeau, n'obtinrent que des délais. Mais quand *Corydon* enfin parut, aucun « service de presse » ne fut fait, non plus qu'aucun effort publicitaire : Gide avait-il peur du scandale? Il est certes vraisemblable qu'ayant été frappé dans sa jeunesse par le procès haineux de Wilde, il surestima jusqu'au dernier moment les réactions du public français ; il pensait jouer beaucoup plus qu'en réalité il ne risquait, dans cette France littéraire de 1924, déjà travaillée par Proust, Freud et les premiers vulgarisateurs de sexologie. N'importe :

J'estime, lit-on dans un projet de préface pour *Si le grain ne meurt, que mieux vaut encore être haï pour ce que l'on est, qu'aimé pour ce que l'on n'est pas. Ce dont j'ai le plus souffert durant ma vie, je crois bien que c'est le mensonge. Libre à certains de me blâmer si je n'ai pas su m'y complaire et en profiter. Certainement j'y eusse trouvé de confortables avantages. Je n'en veux point.*

Gide avait *besoin* d'être enfin pris pour ce qu'il était, d'ouvrir sur sa véritable nature les yeux de ceux qui n'avaient pas su lire *Saül*, *l'Immoraliste*, *les Caves*... Mieux : s'il s'avouait, ce n'était pas en coupable, il n'acceptait pas d'avance la réprobation publique. *Corydon* et *Si le grain ne meurt* (il s'agit surtout ici, bien sûr, de la seconde partie, ce qui précède n'étant que *bagatelles du vestibule*) sont autant nés d'une exigence de sincérité que d'un besoin de se justifier, de donner droit de cité à la pédérastie. Certes, Proust avait largement enfreint le tabou de *l'amour qui n'ose pas dire son nom* et avait déjà *habitué le public à s'effaroucher moins et à oser considérer de sang-froid ce qu'il feignait d'ignorer, ou préférait ignorer d'abord.* Mais, qu'on se rappelle les premières pages de *Sodome et Gomorrhe*, et l'apparition grotesque et dégoûtante des « hommes-femmes » : il est certain que Proust avait décrit l'inversion comme une *maladie ;* son caractère clandestin lui avait même paru un élément déterminant du plaisir recherché ; il en avait parlé, c'était beaucoup, mais n'avait guère fait pour réduire les préjugés touchant l'inversion. Gide entend, lui, plaider la cause le front haut, et *démontrer* : 1. que l'homosexualité, d'ailleurs pratiquée par les animaux, n'est nullement *contre nature* et qu'elle n'est apparue telle que dans la mesure où notre civilisation latino-chrétienne, orientée à sens unique, l'a reniée ; 2. que les effets de la pédérastie ne sont pas nuisibles au progrès moral ni à la vie sociale, mais qu'au contraire ils élèvent et ennoblissent, comme le prouvait en Grèce le *bataillon sacré des Thébains* qui, *formé d'hommes amoureux les uns des autres*, donnait l'exemple de l'héroïsme ; 3. et qu'en particulier, enfin, l'amour grec, l'amoureuse prise en charge par un homme mûr d'un adolescent en plein devenir est pour celui-ci le plus profitable des systèmes d'éducation.

Qu'il soit aisé de critiquer, sur son terrain même, la thèse de Gide, est secondaire ; il nous suffit de souligner que jusqu'à la fin, *Corydon* est resté dans l'esprit de son auteur *le plus important de* (ses) *livres*, celui par lequel il jugeait avoir fait le plus de bien à ses semblables. Que l'ouvrage fût lourdement didactique, trop exclusivement démonstratif, ces défauts étaient pour Gide des qualités :

C'est que je m'adresse et me veux adresser à la tête et non point au cœur ; c'est que je ne cherche point à remporter la sympathie qui risquerait d'avoisiner l'indulgence ; (...) Voir le procédé de l'avocat, qui tâche à faire passer pour passionnel le crime de son client. Je ne veux point de cela. Je prétends que ce livre soit écrit froidement, délibérément ; qu'il y paraisse. La passion doit l'avoir précédé ; tout au plus doit-on pouvoir l'y sous-entendre ; surtout elle ne doit point le faire excuser. Je ne veux pas apitoyer avec ce livre ; je veux GÊNER.

Quoi qu'il en soit et indépendamment du jugement que mérite ce petit livre, le courage de *Corydon* est à mettre au crédit de Gide, qui hasardait par cette publication la situation glorieuse où il avait atteint, en ces années qui suivirent la première Guerre mondiale. Enfin sorti de cette célébrité restreinte aux milieux littéraires les plus fermés, il connaissait en effet le succès, la vraie gloire, commençait d'être considéré comme le plus grand écrivain français vivant, « contemporain capital », comme l'appela Rouveyre en 1924, *princeps juventutis* comme, avant la guerre, l'avait été Barrès. Pour les esprits tourmentés ou révoltés de l'après-guerre, en quête de sincérité et de pureté, Gide était la référence inévitable, même pour le surréalisme naissant, qui prisait fort Lafcadio – et Gide encouragea Dada, donnant au premier numéro de *Littérature* (mars 1919), la revue de Soupault, Breton et Aragon, sept fragments des *Nouvelles Nourritures* alors en gestation. Véritable pape des Lettres, il exerce, grâce à la *Nouvelle Revue Française* qu'il a fondée en 1909 et qu'il inspire (quoique toujours « en retrait », laissant la direction en titre d'abord à Jacques Copeau, puis à Jacques Rivière), une *influence* considérable : et l'on sait le prix, et la portée particulière qu'il attribuait à cette forme de la gloire, l'influence ; lorsqu'en 1921 il compose son volume, si curieusement petit et épais (468 pages 10 × 14 cm, l'aspect d'un bréviaire qui se glisse dans n'importe quelle poche...), de *Morceaux choisis*, il y insère l'étrange et significative *Conversation avec un Allemand*, que l'on retrouvera plus tard dans *Incidences* :

... *L'action*, dit l'Allemand à Gide, *c'est cela que je veux ; oui, l'action la plus intense... intense... jusqu'au meurtre...*

Long silence.

— *Non*, dis-je enfin, désireux de bien prendre position, *l'action ne m'intéresse point tant par la sensation qu'elle donne que par ses suites, son retentissement. Voilà pourquoi, si elle m'intéresse passionnément, je crois qu'elle m'intéresse davantage encore commise par un autre. J'ai peur, comprenez-moi, de m'y compromettre. Je veux dire de limiter par ce que je fais, ce que je pourrais faire. De penser que parce que j'ai fait ceci, je ne pourrai plus faire cela, voilà qui devient intolérable. J'aime mieux* faire agir *que d'agir.*

Or, en cet après-guerre, Gide semblait bien *faire agir*, faire vivre toute la jeune génération, ou son élite à tout le moins. Est-il alors étonnant que cet apogée fût aussi le moment des attaques les plus violentes que Gide ait eu à essuyer ?

Les plus bruyantes eurent pour initiateur un petit romancier lyonnais, Henri Béraud, au reste journaliste de talent, qui en 1921-22 partit en guerre contre les écrivains publiés par la *N.R.F.* A grand fracas, il s'attaqua au « snobisme de l'ennui et de la mévente », à la littérature « protestante », proclama « la Nature a horreur du Gide », releva dans les « principaux ouvrages » de ce dernier « huit barbarismes, trente solécismes, deux contresens, plusieurs amphibologies, des fautes d'orthographe, plusieurs fautes touchant à l'accord des temps, des emplois abusifs de verbes, une ellipse vicieuse par changement de nombre, divers emplois de pas ou point en superfétation, plusieurs pléonasmes et certaines insanités assez succulentes »... Et, « remontant son pantalon », Béraud, à qui les mille échos de sa querelle dans la presse française donnaient de l'assurance, confiait à un interviewer : « En ce qui concerne l'affaire Gide, je prends parti, et je ne me cache plus, pour la littérature rigolote ou tout au moins agréable. » En 1924, Béraud s'était essoufflé à vouloir démontrer que le public avait tort d'acheter des livres qui ne se vendaient pas, et sa campagne de résistance à la « croisade des longues figures » de la *N.R.F.* avait fait long feu.

Vieille de quinze années, la *Nouvelle Revue Française* était solide. Quoi qu'en prétendît Béraud, elle ne se voulait pas une chapelle, et son éclectisme, affirmé dès 1909, n'admettait de bornes que celles de l'honnêteté intellectuelle, de la foi dans le sérieux de l'art ; elle n'était rien moins qu'une école et, en fait de manifeste, son premier numéro s'était contenté de *Considérations* fort générales de Schlumberger, et d'une petite gerbe de citations qui traduisaient surtout, en matière esthétique, le goût du travail et de la mesure, et une certaine méfiance à l'endroit de l'inspiration, de l'improvisation, des séquelles de la facilité romantique... La cohésion de l'équipe de la *N.R.F.* avait été celle d'un groupe d'amis qui s'appréciaient, s'estimaient dans leurs différences : « Notre entente, raconte Jean Schlumberger, ne s'établit pas autour d'un programme ; c'est notre programme qui fut l'expression de notre entente. (...) Nous avions en commun quelques grandes admirations, doublées d'énergiques refus, et quelques principes qu'il faudrait qualifier de moraux autant que d'esthétiques. » Ces hommes venus d'horizons sociaux et spirituels si divers avaient en effet accepté, pour la rédaction des fameuses *Notes* critiques qui firent beaucoup pour la gloire de la revue, « l'effacement des amours-propres », un travail en équipe qui ne ménageait aucune susceptibilité ; leur désir de se dépouiller de toute vanité d'auteur leur avait fait prendre pour principe de ne jamais rendre compte dans la revue d'une œuvre publiée par l'un d'entre eux... Cette honnêteté, où certains ne voulurent voir qu'affectation de purisme, accrut d'ailleurs la force d'attraction du groupe, et, aux compagnons de la première heure : Schlumberger, Ghéon, Claudel, Copeau, Ruyters, Ch.-L. Philippe, Marcel Drouin... vinrent, autour de Gide, s'en joindre tant d'autres... Bien vite, Jacques Rivière, jeune maître de philosophie du collège Stanislas, esprit passionné et inquiet de vérité, « anima naturaliter christiana » (Mauriac) que Claudel, puis

Gide, Proust enfin orientèrent vers une foi frémissante quoique peu soumise ; et, dès 1913, le jeune romancier de *Jean Barois*, Roger Martin du Gard... Tous deux, précieux amis pour Gide, témoins fidèles : en Jacques Rivière, Gide put voir comme l'aboutissement de sa propre tentation chrétienne ; tandis qu'il ne lui paraissait pas possible *qu'une adhésion totale aux vérités de l'évangile, ou si l'on préfère : à la Vérité, n'entraînât point un renoncement à soi-même et une complète réforme morale*, Rivière lui écrivait : « J'aime la facilité du catholicisme et tout ce qu'il me permet d'emmener avec moi. Il ne s'agit naturellement pas d'un mélange pimenté et satanique (...). Il s'agit simplement de cette merveilleuse aptitude du catholicisme à rendre son emploi à tout ce qu'il y avait de bon dans l'âme infidèle. » Au contraire – mais la symétrie s'arrête là, car, si une typhoïde emporta dès 1925, à moins de quarante ans, le directeur de la *N.R.F.*, l'auteur des *Thibault* demeura près de quarante années l'ami intime de Gide, et lui survécut – Roger Martin du Gard fut non seulement le *compagnon de métier*, le conseiller et le témoin de la longue genèse du « Roman » mais aussi, en quelque manière, le pôle rationaliste et positif des oscillations gidiennes, l'aspiration à l'ataraxie agnostique... Le moins qu'on pût dire de cet extraordinaire « bouillon de culture » spirituel que fut la *N.R.F.*, où Gide faisait figure d'aîné bien plus que de chef d'école, était qu'on n'y jouait pas à l'auto-encensement aux dépens des valeurs les plus hautes... Béraud avait sous-estimé ses adversaires.

Au fond, Gide ne souffrit guère de ces attaques, y trouvant une aide à son succès, prenant même grâce à elles *conscience de (sa) dureté*. Beaucoup plus sérieuses, parce que plus graves et touchant aux choses essentielles, furent celles d'Henri Massis : en 1914, le critique catholique avait déjà « sonné le tocsin » à propos des *Caves du Vatican ;* en 1921, puis en 1923, il reprit le bon combat en de retentissants articles donnés à la *Revue universelle*, et il apparut vite qu'il faisait son affaire personnelle de la lutte contre Gide, – qui, aujourd'hui, constitue effectivement la meilleure part de son œuvre, son plus sûr titre à l'immortalité...

Par la bouche de Massis semblait s'élever la voix terrible d'un Grand Inquisiteur, défenseur non plus seulement de la religion contre Gide coupable de « révolte théologique », mais des bases mêmes de la civilisation occidentale. Le procès était sans appel, le style tenant plutôt, put-on dire, de la « bastonnade » que de la critique... Néanmoins le réquisitoire était clair, et par là même, utile. Massis précisait bien qu'il dédaignait de faire à Gide « un procès d'immoralité, le procès fait à Baudelaire, à Wilde, à Rimbaud, par exemple. Il s'agit bien de cela ! C'est le procès fait à Rousseau, c'est-à-dire à un *réformateur*. Gide est un réformateur, en ce que sa critique porte atteinte à l'unité de la personne humaine, à l'organisation même de l'être spirituel ». Et Gide acquiesçait, demandant même à Massis la permission de mettre en épigraphe d'un des chapitres des *Faux-Monnayeurs*, qu'il écrivait alors, la phrase capitale de son article de novembre 1923 à propos du *Dostoïevsky* : *Ce qui est mis en cause ici, c'est la notion même de l'homme sur laquelle nous vivons.* C'était bien là, et il plaisait à Gide d'être ainsi attaqué au bon endroit, découvrir la véritable dimension de la pensée gidienne, celle-là même qui l'avait incliné vers Dostoïevsky, cet autre novateur, cet autre chrétien en révolte contre la société chrétienne, mais au nom d'un évangélisme certes hétérodoxe, au nom d' « une de ces variétés du christianisme indépendant qui sévirent dans les déserts orientaux ou dans la forêt germanique, c'est-à-dire aux divers ronds-points de la barbarie » (Charles Maurras, cité par Massis)...

Où Dostoïevsky et Gide s'étaient-ils rencontrés ? L'épigraphe du volume de Gide nous le dit, qui reprend une confidence de Nietzsche : *Dostoïevsky... le seul qui m'ait appris quelque chose en psychologie...* C'est pour avoir sondé le premier les abîmes intérieurs de l'homme, pour avoir créé les personnages les plus *pantelants de vie*, les plus foisonnants d'idées, de sentiments, de passions, pour n'avoir reculé devant la peinture d'aucune exception, d'aucune anomalie, d'aucune maladie, d'aucune *possibilité* de l'homme, que Dostoïevsky avait séduit Gide. Curieux de soi, soucieux de tout connaître,

ANDRÉ GIDE

Gide trouvait en lui un nouvel élargissement de son être, et une nouvelle justification à son refus de mettre à sa sincérité les bornes qu'imposent toute morale et tout dogme. Et Henri Massis attaquait : « Qu'est-ce donc que la *sincérité* pour Gide ? Être sincère, c'est avoir toutes les pensées, c'est leur accorder le droit d'être pour cela seul qu'on les trouve en soi, car *rien de ce qui est en nous ne doit être différé*. Et pour ne vouloir négliger aucun élément de soi-même, c'est à ses inspirations les plus malsaines que Gide soumet son esthétique (...). Il assure que *les régions basses, sauvages, fiévreuses, non nettoyées*, offrent à l'artiste une *ineffable ressource* et que *les hautes régions sont pauvres* (...). M. André Gide est de ceux qui refusent la vérité par crainte de s'appauvrir ; il croit l'erreur plus féconde que le vrai, parce que le vrai est un et que l'erreur est innombrable : d'où sa dilection pour le mal. » Massis n'avait évidemment pas tort de voir que c'était ce culte de la richesse intérieure, ce *psychologisme*, fondement de l'exigence de sincérité qui était à la source de l'immoralisme de Gide, guidé par la *peur de s'appauvrir*. Car, plus que de cette exploration du Mal à laquelle Gide était induit, Massis s'épouvantait de l'*anarchie* spirituelle qui en découlait : apprenant de Dostoïevsky le grand secret de la psychologie qu'est *la cohabitation des sentiments contradictoires*, Gide s'attachait à ruiner la notion occidentale et classique de l'Homme, « cette réalité immuable et transcendante dont nous reconnaissons la régulation souveraine », en remplaçant cette *unité* par la *multiplicité* anarchique du moi individuel. Élargissant le procès, Massis entendait montrer que, héraut de cette métaphysique dévastatrice, André Gide ne pouvait, par son influence, qu'abaisser davantage son époque, déjà désintégrée, désagrégée, négatrice d'elle-même : son individualisme n'était pas seulement une faute morale, mais le refus de tout *impératif*, l'établissement d'une « nouvelle table des valeurs », changeante et extensible comme l'est l'Ego ; Massis ne blâme point Gide de commettre ou de faire commettre à ses personnages tel péché ou tel autre, il le condamne pour tenter de légitimer ce péché, de l'intégrer à la « moralité privée ». Et c'était bien la démarche de Gide,

La N. R. F. : autour de Gide, Jean Schlumberger, Jacques Rivière, Roger Martin du Gard, à Pontigny (1922).

qui voyait même dans tout réformateur un homme conduit par le besoin de *justifier* un déséquilibre personnel :

A l'origine de chaque grande réforme morale, dit-il dans sa sixième conférence sur Dostoïevsky en 1922, *si nous cherchons bien, nous trouverons toujours un petit mystère physiologique, une insatisfaction de la chair, une inquiétude, une anomalie. (...) Le malaise dont souffre le réformateur est celui d'un déséquilibre intérieur. Les densités, les positions, les valeurs morales lui sont proposées différentes, et le réformateur travaille à les réaccorder : il aspire à un nouvel équilibre ; son œuvre n'est qu'un essai de réorganisation selon sa raison, sa logique, du désordre qu'il sent en lui ; car l'état d'inordination lui est intolérable. Et, je ne dis pas naturellement qu'il suffise d'être déséquilibré pour devenir réformateur, mais bien que tout réformateur est d'abord un déséquilibré.*

Je ne sache pas qu'on puisse trouver un seul réformateur, de ceux qui proposèrent à l'humanité de nouvelles évaluations, en qui l'on ne puisse découvrir ce que M. Binet-Sanglé appellerait une tare.

Mahomet était épileptique, épileptiques les prophètes d'Israël, et Luther, et Dostoïevsky. Socrate avait son démon, saint Paul la mystérieuse « écharde dans la chair », Pascal son gouffre, Nietzsche et Rousseau leur folie.

(...) Certes, il y a des réformateurs bien portants ; mais ce sont des législateurs. Celui qui jouit d'un parfait équilibre intérieur peut bien apporter des réformes, mais ce sont des réformes extérieures à l'homme : il établit des codes. L'autre, l'anormal, tout au contraire échappe aux codes préalablement établis.

Contre l'anarchie immoraliste et subjectiviste, Massis défendait donc la notion occidentale des réalités transcendantes, la soumission thomiste à l'*objet*, à une Vérité pérenne et supra-individuelle. Il dénonçait l'influence désagrégeante, et par là même *démoniaque*, de Gide cherchant à « éveiller le trouble qu'une âme portait en elle, lui en faire prendre conscience en se prêtant à demi, puis fuir dès qu'elle le presse »... Enfin, rien n'irritait plus M. Massis que de voir Gide se désignant, et reconnu comme « le meilleur représentant du classicisme » :

suprême imposture, selon lui, que d'avoir réduit le classicisme à une *forme* enveloppant la négation même de « l'homme classique » : « Notre langue, notre génie, notre canon classique de la beauté, cet art qui sait ne pas tout dire, sa *modestie*, sa pudeur, ses qualités morales, (Gide) entend bien ne pas s'en passer, mais il ne les exalte que pour détruire la conception de la vie, de la raison, de la sagesse, de la grandeur d'âme, de la sainteté dont ils sont l'émanation sensible. L'art classique, mais non pas l'*homme classique*. »

On a beaucoup blâmé, et ce parmi les catholiques mêmes, le *ton* des articles de Massis. Qu'il ait manqué de finesse et surtout de charité vraie, on ne le contestera plus guère ; mais la rigueur logique de son attaque, à défaut d'une honnêteté intellectuelle qui l'eût obligé à plus de souplesse, Gide lui-même ne la contestait pas. La querelle, d'ailleurs, était stérile, entre un système et la négation de tout système ; du moins servit-elle à révéler à Gide les implications dernières de sa propre pensée, à lui faire prendre consistance et netteté – et il en remercia Massis : *J'y vois* – lui écrit-il le 25 janvier 1924 à propos de ses premiers *Jugements* – *pour la première fois rassemblés des traits épars de ma figure. Grâce à vous, et depuis votre étude, je sens évidemment que je suis.*

L'art du roman

Lorsqu'en 1926 parurent *les Faux-Monnayeurs*, cette somme de la maturité gidienne était un mets de choix pour l'appétit critique de Massis : plus encore que l'exégèse morale, il semble pourtant que ç'ait été la nouveauté formelle, technique, de ce roman qui surprit et retint l'attention. Car, la dédicace à Roger Martin du Gard le soulignait, il s'agissait bien du « premier roman » d'André Gide : vers 1911, entre *Isabelle* et *les Caves*, il avait en effet décrété qu'il n'avait encore écrit aucun roman, et qu'il ne faisait que commencer d'en élaborer la théorie, dont le *Journal* des années qui suivent nous permet d'ailleurs de suivre les lents progrès. En 1926, le nouveau romancier était l'auteur de quatre *récits* – *l'Immoraliste, la Porte étroite, Isabelle* et *la Symphonie pastorale* – et d'autant de *soties* – *Paludes, le Prométhée mal enchaîné, les Caves du Vatican*, auxquelles il faut évidemment joindre *le Voyage d'Urien*, quoique classé généralement dans la catégorie « Divers ». Que signifiaient ces appellations ?

Les *récits* gidiens sont comme des *études*, dans la forme du roman traditionnel. Le personnage qui dit *je*, narrateur, y est une manière de compromis entre l'auteur de Mémoires, qui est réduit à la matière de sa propre expérience, et le romancier de type classique, observateur impersonnel qui, « de haut », sonde les reins et les cœurs de tous ses héros. Mais ce qui plus essentiellement caractérise les récits de Michel, de Jérôme, de Gérard Lacase ou du pasteur de *la Symphonie*, c'est que chacun, sur un ton d'une parfaite unité, raconte une histoire singulière, épurée et comme dégagée de cette gangue par quoi la réalité ordinaire nous voile les débuts, la conclusion et les méandres de semblables tragédies. Le récit gidien a un développement unilinéaire, abstrait ; et c'est ce qui le relie si évidemment à cette haute tradition française qui va de *la Princesse de Clèves* à *Dominique*, en passant par *la Religieuse* et *Adolphe*. Avec ce monde grave et dense, celui des *soties*, factice, peuplé de marionnettes, fait un contraste violent : la grimace, la crispation grotesque y dominent, sans qu'on puisse s'en prendre à l'auteur, qui toujours nous échappe par une pirouette, par une ironie dont on ignore où elle commence, où elle finit... L'histoire, que ce soit celle du *Prométhée* ou celle des *Caves*, se déroule sur un mode ironique et dubitatif : ceci vous déplaît ?... J'y vais trop fort ?... *Mettons que je n'ai rien dit.* L'auteur prend plaisir à ce que nous voyions presque mieux les ficelles que les héros eux-mêmes ; et dans *Paludes*, dans *les Caves*, il place un personnage de romancier qui prend précisément pour sujet *Paludes*, ou pour héros Lafcadio Wluiki... L'univers de la sotie semble être tout à la fois la caricature et l'antithèse absurde de l'univers des récits. Pourtant, récits et soties ont un trait commun :

A la seule exception de mes Nourritures, écrivait Gide dans des *Feuillets* que n'a pas repris l'édition du *Journal* dans la

Pléiade, *tous mes livres sont des livres ironiques ; ce sont des livres de critique.* La Porte étroite *est la critique d'une certaine tendance mystique ;* Isabelle *la critique d'une certaine forme de l'imagination romantique ;* la Symphonie pastorale *d'une forme de mensonge à soi-même ;* l'Immoraliste *d'une forme de l'individualisme. (Ceci dit sommairement.)*

Au demeurant ces critiques se complètent, et l'on touche ici à la raison de ce principe d'alternance qui fit de Gide l'auteur de livres, successivement, si différents, voire antinomiques : *Je n'aurais pu écrire* l'Immoraliste, *précisait-il, si je n'avais su que j'écrirais aussi* la Porte étroite, *et j'avais besoin d'avoir écrit l'un et l'autre pour pouvoir me permettre* les Caves. Il ne pouvait s'en tenir là. Au contraire de ces *monographies, petits récits épurés* et caricatures critiques, le *Roman*, lui, doit prétendre à la complexité, au foisonnement de la réalité, et c'est une entreprise beaucoup plus vaste, proprement créatrice de vie. Écrire un roman, pour Gide, c'est donc d'abord changer de technique : dès la parution des *Faux-Monnayeurs*, avant même qu'on ne publie le *Journal des Faux-Monnayeurs* – dédié *à ceux que les questions de métier intéressent* – la plupart des critiques ne s'y sont pas trompés. Il serait, d'ailleurs, très éclairant de montrer un jour que, l'expression littéraire étant pour Gide la solution en perpétuel progrès de ses problèmes spirituels, l'invention des formes, des techniques est chez lui plus significative que la substance de son œuvre ; ou plus exactement, que ces questions formelles tendent à constituer cette substance même, comme le discours sur la création poétique est au fond du poème mallarméen. Ainsi *les Faux-Monnayeurs* sont-ils d'abord le *roman du roman.*

Le roman du romancier : le tiers du livre est constitué par le « Journal d'Édouard », le Journal du romancier qui ne parvient pas à écrire *les Faux-Monnayeurs,* comme le devinent facilement ses interlocuteurs :

– *Mon pauvre ami, dit Laura avec un accent de tristesse ; ce roman, je vois bien que jamais vous ne l'écrirez.*

– *Eh bien ! je vais vous dire une chose, s'écria dans un élan impétueux Édouard : ça m'est égal. Oui, si je ne parviens pas à l'écrire, ce livre, c'est que l'histoire du livre m'aura plus intéressé que le livre lui-même ; qu'elle aura pris sa place ; et ce sera tant mieux.*

— Ne craignez-vous pas, en quittant la réalité, de vous égarer dans des régions mortellement abstraites et de faire un roman, non d'êtres vivants, mais d'idées ? demanda Sophroniska crain-tivement.

C'était en effet le danger (que sut moins éviter l'auteur de *Contrepoint*) : que, le roman tournant au discours sur le Roman, la technique devenant sa propre matière, la vie risquât de se retirer de cette entreprise bien théorique. L'abstraction attirait Gide – mais *il s'en rendait compte*, et, à qui lui demande quels seront les rapports de son héros avec la réalité, il fait répondre Édouard : *Mon romancier voudra s'en écarter ; mais moi je l'y ramènerai sans cesse. A vrai dire, ce sera là le sujet : la lutte entre les faits proposés par la réalité, et la réalité idéale.* Édouard est un Gide qui n'eût réussi à écrire que le *Journal des Faux-Monnayeurs*, et non le roman. Du reste ce personnage, qui permet en somme à l'auteur tout à la fois d'être *présent* dans sa création – de s'y *compromettre* – et *absent* – en s'en dégageant impartialement, puisque après tout Édouard n'est pas tout à fait André Gide, qui prend d'ailleurs soin d'apparaître sans masque dans le roman et d'y dire *je* – ce personnage n'est que le plus important produit d'un procédé qui nous renvoie au temps de *la Tentative amoureuse* : ce procédé dont Gide empruntait le nom à l'héraldique, et qui consiste à reproduire dans un blason un blason semblable mais plus petit : la *mise en abyme*. Technique originale, grâce à quoi il peut indiquer la *rétroaction* du livre sur celui qui l'écrit, introduire dans l'œuvre la théorie critique du Roman qui s'élabore en même temps que celui-ci, user enfin de ce jeu de miroirs qui reflètent et multiplient à l'infini les sens du livre, donnant ainsi aux personnages et à leur histoire une sorte de *profondeur métaphysique*... Le *roman du roman* ne s'est donc pas développé aux dépens du *roman des personnages*, il l'a doublé d'une signification supplémentaire, et capitale puisqu'elle représente l'effort proprement vital de l'auteur : la création. Si le livre s'ouvre avec la découverte par Bernard de son indépendance et par son départ, allégé de tout devoir précis, c'est que la création d'un roman exige elle aussi une libération totale, une acceptation de l'aventure et de l'inconnu ; si Olivier se laisse prendre aux faux brillants et au bonheur superficiel d'un Passavant avant de retrouver la joie grave et pleine au côté d'Édouard, c'est que la sensibilité de l'artiste doit de la même façon se déprendre de la facilité pour se doubler indispensablement de lucidité critique ; si finalement l'histoire ne trouve sa consistance autour des catastrophes de la troisième partie que par l'action discrète de Strouvilhou, dont à peine lisons-nous le nom dans les deux premiers tiers du livre – sur une carte de visite chez Robert, sur le registre de l'hôtel à Saas-Fée –, c'est que pour Gide il n'y a toujours pas *d'œuvre d'art sans collaboration du démon...* Et il serait ainsi possible de montrer que chaque personnage des *Faux-Monnayeurs* est pour Gide la représentation, dynamique et autonome, d'un des moments essentiels de la création romanesque. Aussi ce livre, plus profondément qu'on ne l'avait d'abord cru, *est*-il le roman du Roman, bien plutôt qu'il ne le contient : il est le roman achevé d'un roman qui échoue.

L'accueil fait aux *Faux-Monnayeurs* fut plutôt froid, mais Gide ne désespéra pas de gagner leur procès en appel, et put noter dans *Ainsi soit-il*, plus de vingt ans après, sa satisfaction de voir son livre mis au nombre des *douze meilleurs romans du demi-siècle.* Et il n'est plus contesté que la part des *Faux-Monnayeurs* fut considérable dans le renouvellement du roman moderne, après Proust et avant l'étape décisive que constitua l'influence du roman américain et, à travers lui, des modes du récit cinématographique sur la génération littéraire du dernier après-guerre. Toutefois, et c'est là la force et la faiblesse du livre, il ne découvre toute sa richesse qu'étroitement rattaché à la personne de son auteur, que si nous cherchons à voir dans *les Faux-Monnayeurs* le seul complet et authentique *André Gide par lui-même...*

Gide et Martin du Gard

Un journal plus intime

Les témoignages ne manquent pas, suivant lesquels ce sont les expériences, la vie même de Gide qui constituèrent la matière des *Faux-Monnayeurs*. L'un des plus précis de ces témoins, Claude Mauriac, rouvrant le livre en 1939, notait dans son Journal : « Nul doute que ne soit très grande dans ce « roman » la part du journal authentique. (...) Tout ce que Gide m'a avoué, je le retrouve ici, à peine transposé. Ce sont les mêmes termes, bien souvent, que ceux entendus de sa bouche... » Du *Journal*, de *Si le grain ne meurt*, des *Souvenirs de la cour d'assises* même, quantité de traits, d'anecdotes recueillis ou vécus ont passé dans le roman... Et, plus profondément, il est certes évident que, *pour une grande part*, Édouard est

Gide lui-même, Olivier est Marc Allégret, Passavant (... notons le calembour), Cocteau, et Laura, Madeleine... Mais ce n'est pas encore en ce sens que *les Faux-Monnayeurs* figurent André Gide.

« Écrire, c'est se livrer », disait brutalement Mauriac au début de *Dieu et Mammon*. Et sans doute le seul fait d'écrire est-il déjà une révélation accordée par l'écrivain sur lui-même. En un sens, tout est confessions, car il n'y a pas d'expression pure en littérature, quelque chose est toujours exprimé par quelqu'un, donc toujours vu et rendu subjectivement. Mais l'on a coutume de réserver ce terme de confessions à des textes qui proclament explicitement n'avoir d'autre but que de renseigner le lecteur sur la nature de leur auteur : or, ils sont, presque toujours, sujets à caution, et, le plus souvent, ou bien leur dessein d'information n'est pas pur de toute autre visée, ou bien leur auteur est malgré lui gêné par la délicatesse même de l'entreprise. C'est ce que Gide n'a pas manqué de voir en ce qui concerne son *Journal ;* et la rédaction parallèle de ses Mémoires et des *Faux-Monnayeurs* le lui fit souvent et très vivement ressentir, au point qu'il lui semblât se mieux raconter dans son roman que dans *Si le grain ne meurt*. Il le note, une fois achevée la première partie de ces Mémoires :

Roger Martin du Gard, à qui je donne à lire ces Mémoires, leur reproche de ne jamais dire assez, et de laisser le lecteur sur sa soif. Mon intention pourtant a toujours été de tout dire. Mais il est un degré dans la confidence que l'on ne peut dépasser sans artifice, sans se forcer ; et je cherche surtout le naturel. Sans doute un besoin de mon esprit m'amène, pour tracer plus purement chaque trait, à simplifier tout à l'excès ; on ne dessine pas sans choisir ; mais le plus gênant c'est de devoir présenter comme successifs des états de simultanéité confuse. Je suis un être de dialogue ; tout en moi combat et se contredit. Les Mémoires ne sont jamais qu'à demi sincères, si grand que soit le souci de vérité : tout est toujours plus compliqué qu'on ne le dit. Peut-être même approche-t-on de plus près la vérité dans le roman.

Autant dire que c'est l'univers des *Faux-Monnayeurs* pris *dans son ensemble* qui représente André Gide : « On n'a

pas l'impression, écrivait très justement Jacques Lévy,
d'un entremêlement de destins, mais au contraire celle d'un
destin unique qui se poursuivrait tantôt sous une forme, tantôt
sous une autre, comme si les données des différents épisodes
étaient ici quelque chose de secondaire par rapport au sujet
véritable du livre qui, lui, serait en deçà ». Il ne s'agit donc pas
d'un « livre à clefs » ; moins encore d'un roman symboliste,
et il faut appliquer à Gide ce qu'il disait de Dostoïevsky, dont
les personnages sont toujours très représentatifs, mais ne
se déshumanisent jamais pour devenir symboliques. Édouard,
Bernard, Olivier, Vincent ne sont pas des allégories, et
même, ils ne sauraient pas être, comme le voulait Jacques
Lévy, la représentation de telle tendance, de tel instinct, de
tel sentiment de l'auteur : mais plutôt, en eux-mêmes déjà
complexes, l'incarnation des divers êtres *possibles* de Gide, ces
« directions infinies » dont parle Thibaudet et auxquelles il a
donné vie : une page des *Réflexions sur le roman*, que lui avait
signalée Roger Martin du Gard, d'ailleurs après qu'il eut
achevé ses *Faux-Monnayeurs*, l'avait vivement frappé, au
point qu'il songea à l'épingler, *en guise de préface*, en tête de
son livre : *Il est très rare qu'un auteur qui s'expose dans un
roman fasse de lui un individu vivant. (...) En d'autres termes,
le romancier authentique crée ses personnages avec les directions
infinies de sa vie possible, le romancier factice les crée avec la
ligne unique de sa vie réelle. Le vrai roman est comme une autobiographie du possible (...). Le génie du roman fait vivre le
possible, il ne fait pas revivre le réel...* (Cité in *Journal des Faux-
Monnayeurs*. Et Gide, de plus en plus conscient que l'intérêt
d'un roman, c'est de nous dévoiler le romancier, écrivait
encore dans son *Journal* du 8 février 1927 :

La richesse de celui-ci (l'auteur), *sa complexité, l'antagonisme
de ses possibilités trop diverses, permettront la plus grande diversité de ses créations. Mais c'est de lui que tout émane. Il est le seul
garant de la vérité qu'il révèle, le seul juge. Tout l'enfer et le
ciel de ses personnages est en lui. Ce n'est pas lui qu'il peint, mais
ce qu'il peint, il aurait pu le devenir s'il n'était pas devenu tout
lui-même. C'est pour pouvoir écrire* Hamlet *que Shakespeare ne
s'est pas laissé devenir* Othello.

Les Faux-Monnayeurs doivent donc nous apparaître comme la traduction concrète de ce dialogue intérieur aux multiples personnages qu'est la conscience de leur auteur ; il ne s'y trouve pas « deux mondes » : celui des personnages gidiens et celui que Gide exécrerait et rejetterait ; ou du moins la séparation ne passe pas par là. Les héros comme Passavant, le faux-monnayeur mondain, ou Strouvilhou, l'idéaliste cynique et meurtrier, sont aussi gidiens qu'Édouard ou Bernard : « en son âme et conscience », Gide est obligé de compter avec eux, car ils existent *aussi* en lui, et c'est pourquoi ils ont tout naturellement pris vie dans le roman. Sous ces diverses formes, se poursuit tout au long du livre le dialogue qui constitue l'unique destin de Gide ; et *les Faux-Monnayeurs*, histoire harmonisée d'une conscience, sont comme un *journal intime*, le plus secret, le plus dénudé qu'André Gide, mi-consciemment, mi-involontairement, ait pu nous livrer.

Involontairement. Car, depuis *Paludes (Avant d'expliquer aux autres mon livre, j'attends que d'autres me l'expliquent... Et ce qui surtout m'y intéresse, c'est ce que j'y ai mis sans le savoir, — cette part d'inconscient, que je voudrais appeler la part de Dieu)*, Gide a souvent insisté sur le sens caché qu'une œuvre pouvait avoir, caché même et surtout à son auteur :

Le véritable artiste, disait-il dans sa première conférence sur Dostoïevsky, *reste toujours à demi inconscient de lui-même, lorsqu'il produit. Il ne sait pas au juste qui il est. Il n'arrive à se connaître qu'à travers son œuvre, que par son œuvre, qu'après son œuvre...*

De fait, une lecture minutieuse du roman permet de discerner *in vivo* les divers *moments psychologiques* d'un itinéraire spirituel qui fut celui de Gide : au départ, une conscience de soi exacerbée, véritable *complexe* dont souffrent la plupart des personnages des *Faux-Monnayeurs*, tout particulièrement Édouard, Armand et, dramatiquement, La Pérouse, qui éprouvent que la lucidité absolue tout à la fois exige et empêche la sincérité : Édouard, condamné par sa nature à une introspection perpétuelle, ne peut pas plus se passer de son Journal que Narcisse de l'eau qui lui renvoie sa chère image : *C'est le miroir qu'avec moi je promène*, écrit-il. *Rien de ce qui m'advient ne prend pour moi d'existence réelle, tant que je ne l'y vois pas reflété.* Mais, à vouloir ainsi *s'objectiver* pour croire en lui, c'est comme s'il s'expulsait de lui-même : *Il me semble parfois que je n'existe pas vraiment, mais simplement que j'imagine que je suis... Je m'échappe sans cesse et ne comprends pas bien, lorsque je me regarde agir, que celui que je vois agir soit le même que celui qui regarde, et qui s'étonne, et doute qu'il puisse être acteur et contemplateur à la fois.*

Et Narcisse devient Protée :

A vrai dire, confie Laura à Bernard, *je ne sais pas ce que je pense de lui. Il n'est jamais longtemps le même. Il ne s'attache à rien ; mais rien n'est plus attachant que sa fuite. Vous le connaissez depuis trop peu de temps pour le juger. Son être se défait et se refait sans cesse. On croit le saisir... c'est Protée. Il prend la forme de ce qu'il aime. Et lui-même, pour le comprendre, il faut l'aimer.*

Cette *demande* d'amour est-elle le dernier mot de Gide, qui écrivait encore dans son *Journal*, à quatre-vingts ans : *Un extraordinaire, un insatiable besoin d'aimer et d'être aimé, je crois que c'est cela qui a dominé ma vie ?* Il semble en tout cas avoir découvert qu'au-delà du narcissisme dissolvant, c'est en étant aimée que la personne peut recouvrer le sentiment de son unité. Mais quant à l'éthique individuelle ? Gide ne se renie point : c'est en soi, et en soi seul qu'il faut la trouver, rien n'existe en dehors de l'individu qui mérite de lui en imposer, de le contraindre ; et, reprenant en somme *cette phrase extraordinaire* qu'il avait trouvée dans une lettre de Dostoïevsky : « Il ne faut gâcher sa vie pour aucun but », il fait tenir à Édouard et à Bernard ce dialogue :

(Bernard :) ... je me suis demandé comment établir une règle, puisque je n'acceptais pas de vivre sans règle, et que cette règle je ne l'acceptais pas d'autrui.

(Édouard :) – La réponse me paraît simple : c'est de trouver cette règle en soi-même ; d'avoir pour but le développement de soi.

– Oui... c'est bien là ce que je me suis dit. Mais je n'en ai pas été plus avancé pour cela. Si encore j'étais certain de préférer en moi le meilleur, je lui donnerais le pas sur le reste. Mais je ne

parviens pas même à connaître ce que j'ai de meilleur en moi...
J'ai débattu toute la nuit, vous dis-je (...) Alors je suis venu vous
trouver pour écouter votre conseil.

— Je n'ai pas à vous en donner. Vous ne pouvez trouver ce
conseil qu'en vous-même, ni apprendre comment vous devez vivre,
qu'en vivant.

— Et si je vis mal, en attendant d'avoir décidé comment vivre ?

— Ceci même vous instruira. Il est bon de suivre sa pente,
pourvu que ce soit en montant.

L'important demeure donc d'être sincère, fidèle à soi-même
et non à l'image de soi qu'on veut montrer et achever :
c'est encore Bernard qui s'écrie : *Oh ! Laura ! Je voudrais,*
tout le long de ma vie, au moindre choc, rendre un son pur, probe,
authentique. Presque tous les gens que j'ai connus sonnent faux.
Faux-monnayeurs... Nous touchons au motif central du
roman, à la grave question que pose la sincérité impossible,
la pureté perdue : l'existence des « faux-monnayeurs », de
ceux-là mêmes qui donnent leur nom au livre. Et, bien sûr,
les faux-monnayeurs, ce sont d'abord les dogmatiques, les
gens « tout d'une pièce », *arrêtés* et installés dans un système,
sincères car « à mesure qu'une âme s'enfonce dans la dévotion,
elle perd le sens, le goût, le besoin, l'amour de la réalité »...
Mais sont-ils les seuls ? Dans ce roman semble fatal le règne
de la *fausse monnaie* dont, plus ou moins, et en plus ou moins
claire conscience, usent *tous* les personnages. A côté des véritables faux-monnayeurs de la morale, de la justice et des
sentiments que sont des hommes comme Vedel, Profitendieu,
Douviers, les héros plus « gidiens », Édouard, Laura, Olivier,
Bernard, La Pérouse sont également contraints de l'être à de
certains moments – par amour-propre, par crainte d'être
déçus, par courtoisie même... ; et l'étrange personnage
d'Armand en émet lui aussi, de la fausse monnaie, mais en
ricanant, en la jetant à la face des autres pour qu'ils l'entendent
bien sonner faux – aussi faux que la leur... De cette omniprésence obsédante, sinon obsessionnelle, de la fausse monnaie
dans le roman, ne pouvons-nous rien conclure quant au
romancier même ? Discrètement, mais instamment, Gide

paraît nous y pousser... Serait-il, lui aussi, un faux-monnayeur ?

Nous l'avons vu, c'est en s'offrant à l'amour d'autrui que Narcisse pouvait se ressaisir ; mais pour être aimé, il lui faut être *estimé*, et cette implicite déduction est au cœur de la psychologie gidienne : c'est ce qui le pousse à perpétuellement se confier, se *confesser* à autrui, parfois au premier venu (combien de visiteurs, inconnus de Gide une heure auparavant, sortirent de chez lui effrayés d'avoir été « choisis » pour recueillir les secrets, les aveux les plus intimes – tout simplement parce qu'ils s'étaient trouvés là au moment précis où Gide obéissait à une impulsion irrésistible, en laquelle Roger Martin du Gard voyait le résultat d'une « intoxication slave », d'une lecture intensive de Dostoïevsky, cette tendance morbide à la confession publique). Pour être estimé, il doit être irréprochable, *apparaître* comme un *juste* : d'où un infléchissement de sa sincérité ; non pas une restriction, car Gide finit toujours par tout dire sur lui-même, mais un infléchissement ; s'il n'ose certains aveux dans ses Mémoires ou son *Journal*, il commet à cet effet le personnage qu'il crée : nul ne semble avoir aimé plus que Gide parler par le truchement d'autrui, comme pour accroître chez le lecteur l'effort de la recherche, et pour lui-même le plaisir de n'être découvert que par les plus attentifs et les plus subtils...

On pourrait dire que Gide jamais ne cache, mais se cache toujours ; de quoi il ne prétend au reste pas se cacher, et n'oublions pas qu'il écrivait à Rouveyre, le 31 octobre 1924 : *C'est aussi que j'ai plus grand souci de cacher ma pensée que de la dire, et qu'il me paraît plus séant de la laisser découvrir par qui la cherche vraiment, que de l'*exposer. Ainsi invités à ouvrir l'œil, reconsidérons le personnage central des *Faux-Monnayeurs*, cet Édouard dont il est difficile de nier qu'étant le romancier qui voit clair, qui est lucide, - qui se « comprend » lui-même et en quelque manière est toujours plus que ce qu'il est –, il s'identifie, sinon à Gide *tout entier*, du moins à ce qui est chez lui le plus essentiel... Or, à réfléchir sur cet être si complexe, ce que nous en livrent le roman et le *Journal des Faux-Monnayeurs* peut nous faire nous demander si ce n'est pas lui le plus grand faux-monnayeur du roman...

Car, tout lucide qu'il est, Édouard est l'homme qui prétend avoir toujours raison, quoi qu'il fasse, et il suit sa nature ; son esprit édifie instinctivement, à mesure, un système, un ordre, une morale qui l'expliquent et le justifient : y croit-il vraiment ? Lui-même blâme son double : *Ce qui ne me plaît pas chez Édouard*, dit-il dans ce chapitre où il juge ses personnages, *ce sont les raisons qu'il se donne. Pourquoi cherche-t-il à se persuader, à présent, qu'il conspire au bien de Boris ? Mentir aux autres, passe encore ; mais à soi-même !* C'est ici Gide, à n'en pas douter ; Gide, dont finalement la sincérité est débordée par la lucidité ; qui, dans ses plus grands efforts, ment encore et le sait, *et le dit*. Sans doute jugera-t-on que tout est sauf, puisque précisément il avoue son mensonge, et qu'il a en quelque sorte la sincérité de son hypocrisie : il n'en reste pas moins que cet aveu est bien caché, et rien moins qu'immédiat, et que son attitude première est un effort pour *paraître*. On le voit bien mollement protester à l'assertion de Rouveyre, pour qui il *n'y a pas de souci plus grand que celui de la figure qu'il fait dans le monde*... Ainsi peut-on se demander si, comme nous le révélerait en profondeur Édouard, Gide n'a pas été un faux-monnayeur en tentant de jouer *sur les deux tableaux* : celui de la sincérité et de la morale aux yeux de ses contemporains, celui de la lucidité aux yeux de la postérité. Car il semble bien qu'il ait tout découvert, tout dit sur lui-même, et que jamais la postérité ne le pourra prendre en flagrant délit d'inconscience ; mais ces révélations sont cachées, et il faut un œil bien exercé pour les découvrir. Tandis que ce qu'on appréhende immédiatement de lui, c'est un être essentiellement moral, vertueux jusqu'au renoncement de la vertu même, et qui n'a rien tant en horreur que d'être pris pour le « pervertisseur » de la jeunesse. Et si nous cherchons quel sentiment peut recouvrir cette duplicité, que pouvons-nous trouver d'autre que l'orgueil ? Orgueil de l'homme vertueux – pharisien paradoxal, comme le dit Henri Rambaud. Lucide au point de sentir irrésistiblement venir le temps où son mensonge sera devenu si profond qu'il sera de sa nature même : c'est la conscience de cette pente qui est peut-être la seule différence que Gide fait entre lui-même et Lucien, cet « esprit faux » du *Journal des Faux-Monnayeurs*.

Ce qu'on appelle un « esprit faux »... je m'en vais vous le dire : c'est celui qui éprouve le besoin de se persuader qu'il a raison de commettre tous les actes qu'il a envie de commettre ; celui qui met sa raison au service de ses instincts, de ses intérêts, ce qui est pire, ou de son tempérament. Tant que Lucien ne cherche qu'à persuader les autres, il n'y a que demi-mal ; c'est le premier degré de l'hypocrisie. Mais, avez-vous remarqué que, chez Lucien, l'hypocrisie devient de jour en jour plus profonde. Il est la première victime de toutes les fausses raisons qu'il donne ; il finit par se persuader lui-même que ce sont ces fausses raisons qui le conduisent, tandis qu'en vérité c'est lui qui les incline et les conduit. Le véritable hypocrite est celui qui ne s'aperçoit plus du mensonge, celui qui ment avec sincérité. M. dit de Lucien qu'il est « tout pénétré par sa façade ».

Ainsi, *somme* d'une période où Gide prétendait avoir enfin trouvé la solution à ses problèmes, n'être plus tourmenté, notamment par la question religieuse, et avoir atteint à *une certaine sérénité*, les *Faux-Monnayeurs* nous livrent en dernière analyse l'inquiétude d'un homme qui n'est point sûr de lui, – mais cette inquiétude ne s'avoue pas, ou ne le fait que sur le dos d'un double complaisant, par de savants rebonds de sa sincérité. Sans que celle-ci cesse d'être à ses yeux l'essentiel, Gide semble à ce point de sa vie, *parvenu au haut de la colline*, comme las de vivre *en écartelé*, de marier réellement en lui le Ciel et l'Enfer ; il semble se satisfaire, à présent, de la *mauvaise raison* que, dans le dialogue étonnant que nous extrayions de *Numquid et tu... ?*, il savait dénoncer comme telle : *Pardon, Seigneur ! oui, je sais que je mens. Le vrai c'est que, cette chair que je hais, je l'aime encore plus que Vous-même. Je meurs de n'épuiser pas son attrait. Je vous demande de m'aider, mais c'est sans renoncement véritable.* Son attitude n'a pas changé, mais, trichant avec lui-même, il a fait taire en lui ce que son *refus spirituel* inquiétait : de conscient qu'il était de son état de pécheur, il s'est changé en juste, en *justifié*. Massis n'avait-il pas parlé de « conscience dans le mal » ?...

ertainement je ne suis plus tourmenté
par un impérieux désir d'écrire. Le sentiment
que « le plus important reste à dire » ne
m'habite plus comme autrefois, et je me
persuade au contraire que je n'ai peut-être
plus grand'chose à ajouter à ce qu'un lecteur
perspicace peut entrevoir dans mes écrits.

Mais ce sont des raisons de paresse que
j'invente après coup et qu'un peu de ferveur ferait fondre. A présent aussi je sens
trop que l'on m'observe et il en va de l'écriture comme du piano :
je joue mieux lorsque je ne me sais pas écouté.

Cela, Gide l'éprouvait depuis *les Faux-Monnayeurs*, et ce
peu de ferveur ne rejaillit dès lors que rarement, trop rarement
pour qu'en pût naître quelque nouvelle œuvre importante –
mis à part *Thésée*, mais qui n'est, au soir de sa vie, qu'un
intelligent concentré de sa sagesse, et, bien sûr, l'inépuisable
Journal, précieux dans sa continuation même. La soixantaine
venue, Gide ne songe pas à se dissimuler que la source a
tari, qu'il est temps de conclure, et de se borner à ce que
Montaigne appelait « le glorieux chef-d'œuvre de l'homme » :
« vivre à propos ». Non qu'il *renonce* précisément : mais
(hormis l'erreur concernant ses *Nouvelles Nourritures*)

161

il distingue avec lucidité que ce qu'il écrit désormais n'est plus de l'ordre du *message*.

Le *Journal*, en ses vingt dernières années, redevient peu à peu l'œuvre essentielle qu'il avait d'abord été au temps où, pour les *Cahiers d'André Walter*, la part de sa mise en forme romanesque était bien minime... Pourtant, on l'a vu, il ne faudrait pas chercher, dans ce document évidemment considérable, dont on a souvent prédit qu'à lui seul il assurerait l'immortalité d'André Gide, l'image complète ni fidèle de son itinéraire : Gide lui-même, lorsqu'il publia les cinquante premières années (1889-1939) de ce *Journal* en souligna les défaillances : suppression systématique de presque tout ce qui avait trait à *Emmanuèle* – coupures qui l'ont *pour ainsi dire aveuglé ;* silence des périodes heureuses, qui laisse surévaluer les phases de dépression ; prise de conscience, vers 1926-27, que tout ce que recevait ce *Journal* serait, dans des délais de plus en plus brefs, livré au public – d'où son caractère, à demi avoué, de plaidoyer *pro domo*... Gide enfin, plus que tout autre, le savait : *Rien de plus menteur que le spontané.* (Jacques Rivière.) Aussi importe-t-il, à qui désire entrer dans l'intimité de son auteur, de ne lire le *Journal* que comme complément de l'œuvre, prétendue non confidentielle, mais de beaucoup plus révélatrice. Il reste, bien sûr, que, s'étendant sur soixante ans, ce monument unique en son genre, bien différent tant de la dissection indéfinie d'un Amiel que de l'atomisme objectif d'un Jules Renard, porte témoignage de toute une génération, à travers les préoccupations quotidiennes de l'un de ses hommes pourvus des plus grands privilèges, ceux de l'esprit et de la fortune. On y revit ses amitiés, ses soucis d'homme de lettres, ses lectures qui furent immenses... Certes, on peut demeurer jusqu'aux pages extrêmes dans la séduisante familiarité d'une âme prodigieusement vivante ; mais, moins on connaîtra Gide et son époque, moins sans nul doute on goûtera les derniers volumes du *Journal*, qui ne précisent rien d'essentiel.

Parfois il en souffre, tente de forcer son talent, de fuir le malaise en voyageant : déjà, la période *creuse* qu'il avait vécue entre son *Immoraliste* et *la Porte étroite*, il l'avait passée en

Du Congo à la Place Rouge...

d'incessants voyages ; à partir de 1925, il ne tient littéralement plus en place, et jusqu'à sa mort, il vivra entre une arrivée et un départ, « le Vaneau », son petit appartement parisien, perpétuellement encombré de valises et de bagages à peine entr'ouverts. L'Afrique équatoriale, l'U.R.S.S., le Maghreb, le Proche-Orient, l'Allemagne, l'Italie, l'Angleterre... le virent successivement, et sa mort rompit un projet de voyage

*Au Congo : Gide et Marc Allégret. Sur le dossier de
la chaise de Gide, Dindiki, le petit pérodictique potto.*

au Maroc... Qu'allait-il chercher au loin ? Il répond, à la
première page du journal de son *Voyage au Congo* : *J'attends
d'être là-bas pour le savoir.* Autant qu'une fuite et qu'un
substitut au travail créateur, voyager était pour Gide la
réalisation de son besoin essentiel de contacts sans cesse
renouvelés avec d'autres choses, d'autres êtres à connaître,
à aimer... Et certes, lorsqu'au lendemain du point final mis
aux *Faux-Monnayeurs* (si tant est que le roman finisse, puisse
finir : inépuisable comme l'est la vie même, il ne fait que
s'arrêter), il part pour le Congo, il sait ce que, de fait, il y
trouvera ; il ne dédaignera pas de noter l'exotisme, et le
livre est riche de merveilleux papillons, de forêts et de
savanes étranges, d'hippopotames dépecés et malodorants
sous le soleil qui les boucane ; et s'il a emporté avec lui
Bossuet, Gœthe, La Fontaine qu'il lit toujours avec le même
enchantement, il retrouve aussi le goût de son enfance
campagnarde. Dans la brousse qui borde le Chari...

Quantité d'arbres inconnus, certains énormes ; aucun d'eux n'est sensiblement plus haut que nos arbres d'Europe, mais quelles ramifications puissantes, et combien largement étalées ! Certains présentent un fouillis de racines aériennes entre lesquelles il faut se glisser. Quantité de ronces-lianes, aux dards, aux crocs cruels ; un taillis bizarre, souvent sec et dépouillé de feuilles, car c'est l'hiver. Ce qui permet de circuler pourtant dans ce maquis, c'est l'abondance incroyable des sentes qu'y a tracées le gibier. Quel gibier ? On consulte les traces ; on se penche sur les fumées. Celles-ci, blanches comme le kaolin, sont celles d'une hyène. En voici de chacal ; en voici d'antilopes-Robert ; d'autres de phacochères... Nous avançons comme des trappeurs, rampant presque, les nerfs et les muscles tendus.

Assurément je ne serais pas immobile depuis quelques minutes, que se refermerait autour de moi la nature. Tout serait comme si je n'étais pas, et j'oublierais moi-même ma présence pour ne plus être que vision. Oh ! ravissement indicible ! Il est peu d'instants que j'aurais plus grand désir de revivre. Et tandis que j'avance dans ce frémissement inconnu, j'oublie l'ombre qui déjà me presse : tout ceci, tu le fais encore, mais sans doute pour la dernière fois.

Mais il n'y a pas que cette nature luxuriante et les gracieux enfants noirs, confiants et caressants : Gide découvre en Afrique équatoriale française ce qui devient vite *le principal intérêt de* son *voyage :* la honte et l'horreur du système colonial, la détresse de peuples asservis au régime des grandes compagnies concessionnaires. Il note les injustices, les atrocités qui soulèvent son indignation ; trois mois après le début de son périple, il s'écrie : *Quel démon m'a poussé en Afrique ? Qu'allais-je donc chercher dans ce pays ? J'étais tranquille. A présent je sais ; je dois parler.* Il parlera. Et l'on verra M. André Gide, l'individualiste forcené, l'esthète raffiné, dépouiller documents et statistiques, écrire des lettres et des rapports pour dénoncer le scandale, intervenir dans les milieux politiques et financiers, susciter un débat parlementaire, provoquer des enquêtes administratives. Non sans succès : l'opinion fut alertée, le ministre des Colonies annonça que les concessions ne seraient pas renouvelées...

En ces années de luttes, pour lui si nouvelles, Gide transformait assurément sa *figure ;* mais aussi bien il se rendait compte qu'il ne faisait, dans le domaine social et politique, que prolonger ce qui l'avait jusqu'alors occupé sur le plan moral, spirituel. Entraîné à critiquer un régime économique et social qui permettait le scandale colonial, et même reposait sur *l'occulte puissance de ces sociétés constituées pour le seul profit, pour le seul enrichissement de quelques actionnaires,* Gide continuait en somme à dénoncer l'hypocrisie d'une société pharisienne, béatement contente de ses dogmes, de sa justice, de son immuable hiérarchie fondée sur la famille, la religion, l'État... De la critique qu'il faisait en mai 1912, juré à la cour d'assises de Rouen, de *la machine-à-rendre-la-justice,* à son *adhésion* au communisme des années 1931-36, l'*engagement* social de Gide ne fut dans son esprit que le prolongement des cris d'affranchissement des *Nourritures terrestres.*

Cependant, lorsque dans l'été 1932 commencèrent à paraître dans la *N.R.F.* des *Pages de Journal* de 1931 où Gide affichait ses sentiments à l'égard du communisme soviétique, la réaction fut d'abord de stupeur. Mauriac, Mauriac lui-même ne comprenait pas, ou plutôt, prévoyant déjà quelle était la méprise de Gide, ne voyait pas ce qui pourtant la rattachait à son œuvre passée : « Ainsi André Gide, qui enseignait à notre jeunesse que chacun de nous est le plus irremplaçable des êtres, désire, maintenant, le triomphe de la termitière bolcheviste où toute créature sera interchangeable... » Étape naturelle de son évolution, l'adhésion de Gide au communisme survint d'ailleurs au moment où, menacée par le fascisme, l'U.R.S.S. essayait de sortir de son isolement et où, en France, le Parti communiste faisait de même, ouvrant les bras aux sympathisants, laissant venir à lui ces « intellectuels de gauche » qu'il enrôlait dans son Association des Écrivains et Artistes Révolutionnaires. On vit alors Gide présider des meetings au Vél' d'Hiv', parler dans des congrès, signer des motions et des pétitions, faire partie de délégations. Le 17 juin 1936, invité par le gouvernement de Moscou, il part pour un voyage triomphal de dix semaines en Union

Soviétique ; sur la Place Rouge, aux côtés de Staline, de
Molotov et des dignitaires du régime, il prononce l'éloge
funèbre de Maxime Gorki ; l'édition russe de ses *Œuvres*
paraît à un rythme accéléré...

En novembre 1936 parut *Retour de l'U.R.S.S.*, dont plus
de cent mille exemplaires furent vendus dans l'année. Gide
y exprimait, d'ailleurs avec nuances et discrétion (que, aiguil-
lonné par les attaques et les insultes, et instruit par de nouveaux faits, ne fût-ce que les grandes purges de Moscou,
il n'aura plus, huit mois plus tard, dans ses *Retouches à mon
Retour de l'U.R.S.S.*), la déception qui avait mesuré l'écart
entre la Russie idéale qu'il avait conçue et la réalité... Gide
n'était plus communiste.

L'avait-il été vraiment ? Il observait, dans son *Journal*
de 1933, que ce qui l'amenait au communisme, *ce n'est pas
Marx, c'est l'Évangile*, l'Évangile sans contrainte ni prohi-
bition, tel qu'il le voyait depuis *les Nourritures terrestres*...

Aussi n'eut-il pas de peine à compléter, orienter et conclure suivant sa nouvelle foi *ce livre de méditations, ou d'élévations* qu'il avait conçu dès 1916 comme le pendant de ses premières *Nourritures :* ce nouvel hymne à la joie, au bonheur, commencé au temps de *Numquid et tu... ?* et de la liaison avec Marc, terminé en 1931-35, s'il se ressentait d'avoir été composé de morceaux disparates et assez artificiellement accolés et cimentés, soulignait du moins la logique du chemin qui avait conduit Gide à l'*engagement* politique :

... *En vérité le bonheur qui prend élan sur la misère, je n'en veux pas. Une richesse qui prive un autre, je n'en veux pas. Si mon vêtement dénude autrui, j'irai nu. Ah ! tu tiens table ouverte, Seigneur Christ ! et ce qui fait la beauté de ce festin de ton royaume, c'est que tous y sont conviés.*

(...) Je sens en moi l'impérieuse obligation d'être heureux. Mais tout bonheur me paraît haïssable qui ne s'obtient qu'aux dépens d'autrui et par des possessions dont on le prive. Un pas

En U. R. S. S. avec Eugène Dabit et Pierre Herbart.

Le 20 juin 1936, sur la Place Rouge, Gide prononce l'éloge funèbre de Gorki.

de plus et nous abordons la tragique question sociale. Tous les arguments de ma raison ne me retiendront pas sur la pente du communisme...

Mon bonheur est d'augmenter celui des autres. J'ai besoin du bonheur de tous pour être heureux.

Mais précisément, jamais il n'y eut pour Gide de véritable *engagement*, et l'on eut raison d'observer que le titre de *Littérature engagée* qu'il donna en 1950 au recueil des textes (discours, articles, lettres, et *Robert ou l'intérêt général*) de sa période socialisante était un contresens, quant à l'état d'esprit de Gide lui-même, qui ne consentit jamais à se considérer comme prisonnier de son option ni de ses actes : c'eût été, de fait, renier toute sa vie et toute son œuvre antécédentes. Quand il essaye, fort sérieusement, de lire Marx, quelle significative note de lecture trouve-t-on dans son *Journal !*

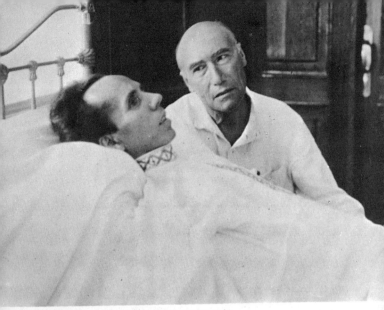

Tête à tête avec le corps du romancier soviétique Ostrovski,
qui vient de mourir (1936, en U. R. S. S.)

15 *juin.* – « *Determinatio est negatio.* » *Cette formule de*
Spinoza, que me fournit une note du quatrième volume du
Capital *de Karl Marx, p. 49, pourrait être versée en appoint*
à ma phrase des Nourritures *: « Choisir ne m'apparaissait point*
tant élire, que repousser ce que je n'élisais pas. »

Il concevait, en somme, le communisme – et, jusqu'à son
voyage, se représentait la société soviétique – comme une
sorte d'état de nature, débarrassé de toutes les contraintes,
de tous les interdits, de tous les conformismes auxquels il
s'était heurté dans la société *capitaliste;* son *engagement*
n'était rien moins qu'une attitude de révolutionnaire, mais
bien plutôt celle du révolté séduit par l'*anarchie.* Toute la
désillusion du *Retour de l'U.R.S.S.* était prévisible dès ses
enthousiastes utopies de 1931 :

Je voudrais crier très haut ma sympathie pour la Russie;
et que mon cri soit entendu, ait de l'importance. Je voudrais
vivre assez pour voir la réussite de cet énorme effort; son succès

que je souhaite de toute mon âme, auquel je voudrais travailler. Voir ce que peut donner un État sans religion, une société sans famille. La religion et la famille sont les deux pires ennemis du progrès.

Et quand, brutalement, il prend contact avec l'U.R.S.S. (il a du reste grand soin de tempérer ses critiques en soulignant qu'elle est *en construction*, en pleine évolution, et qu'elle *n'a pas fini de nous instruire et de nous étonner*), qu'y trouve-t-il, qu'y retrouve-t-il ? Un système rigide, un credo, un dogmatisme, la soumission à une autorité, une lutte vigilante contre les non-conformismes – et Gide ne manque pas de citer la loi contre les homosexuels *qui, les assimilant à des contre-révolutionnaires (car le* non-conformisme *est poursuivi jusque dans les questions sexuelles), les condamne à la déportation pour cinq ans avec renouvellement de peine s'ils ne se trouvent pas amendés par l'exil...* Bref, il retrouvait ce qu'il avait fui : une Église.

« Pour le bien de l'humanité future... »

Il faut bien l'avouer, l'avatar communiste de Gide n'eut de sens qu'au plan *psychologique ;* jamais il ne fut vraiment question d'une conversion du châtelain de Cuverville, au reste fort conservateur et paternaliste de tempérament. Au cours du célèbre colloque que « l'Union pour la Vérité » organisa en janvier 1935 sur « André Gide et notre temps », Henri Massis n'avait pas tort de montrer dans la nouvelle attitude de ce grand individualiste une forme de son besoin, de sa *tentation de s'agréger à quelque chose de plus vaste que soi-même ;* et la même année, une page très significative du *Journal*, en soulignant un aspect de la sensibilité, de l'*émotivité* de Gide, y rattachait tout naturellement son attirance pour le communisme :

La Lenk, 2 août. – Hier, fête nationale. Dans la grande salle à manger (mot hideux) de l'hôtel, avant le dîner, un invisible orchestre joue l'hymne national ; chacun se lève, entonne en chœur avec gravité, ferveur ; les larmes me viennent aux yeux comme il advient lors de tout accord unanime. Je me trouve un peu ridicule ; mais n'y peux rien : c'est plus fort que moi. Et j'accepte volontiers le « plus fort que moi » lorsqu'il émane du plus profond de mon être. Je crois même que, plus particulier l'individu, plus saisissante la volupté qu'il éprouve à se résorber soudain dans la masse et à se désidentifier. Volupté profonde, et qui sans doute n'existe pas, si d'abord rien ne le distingue ; car c'est dans le don qu'est la joie. C'est bien aussi pourquoi l'assentiment au communisme, selon moi, loin de nier l'individualisation, la réclame, et que je crois qu'une saine société communiste favorise et exige de fortes personnalités.

Le plus important demeure donc son refus, son dégagement qui, mieux encore que son éphémère adhésion ne traduit son *caractère*, illustre sa sagesse dernière, laquelle, dans sa mobile disponibilité, ne change pas d'*Œdipe* (1931) à *Thésée* (1946) : alors Gide a trouvé, et exprime, non pas son point d'arrêt, mais son point d'équilibre. L'André Gide qui nous parle dans *Œdipe* est bien celui que, une douzaine d'années plus tard, Sartre prendra pour le modèle du Jupiter des *Mouches :* le message qu'il délivre est celui de la nécessité de l'humanisme, d'une *libération* des dieux et des autorités ; du devoir qu'a chacun d'utiliser ensuite sa liberté, avec sincérité et courage, pour manifester son individualité, s'accomplir – « faire bien l'homme », comme disait Montaigne, traduisant le τὸ ἀνθρωπεύεσθαι d'Aristote. Œdipe (qui se plaindra ensuite de ses fils, qui *de son exemple, n'ont pris que ce qui les flatte, les autorisations, la licence, laissant échapper la contrainte : le difficile et le meilleur*) explique à Étéocle et à Polynice qui lui demandent *quel peut être le but,* que ce n'est pas Tirésias, le prêtre, qui *nous embête avec son mysticisme et sa morale,* qui leur répondra...

(Le but) est devant nous, quel qu'il soit. (...) Si j'ai vaincu le Sphinx, ce n'est pas pour que vous vous reposiez. (...) Tirésias n'a jamais rien inventé et ne saurait approuver ceux qui cherchent et qui inventent. Si inspiré par Dieu qu'il se dise, avec ses

Au Congrès des écrivains (1935), avec Paul Nizan.

révélations, ses oiseaux, ce n'est pas lui qui sut répondre à l'énigme. *J'ai compris, moi seul ai compris, que le seul mot de passe, pour n'être pas dévoré par le sphinx, c'est : l'Homme. Sans doute fallait-il un peu de courage pour le dire, ce mot. Mais je le tenais prêt dès avant d'avoir entendu l'énigme ; et ma force est que je n'admettais pas d'autre réponse, à quelle que pût être la question.*

Car, comprenez bien, mes petits, que chacun de nous, adolescent, rencontre, au début de sa course, un monstre qui dresse devant lui telle énigme qui nous puisse empêcher d'avancer. Et, bien qu'à chacun de nous, mes enfants, ce sphinx particulier pose une question différente, persuadez-vous qu'à chacune de ses questions, la réponse reste pareille ; oui, qu'il n'y a qu'une seule et même réponse à de si diverses questions ; et que cette réponse unique, c'est : l'Homme ; et que cet homme unique, pour un chacun de nous, c'est : Soi.

La vertu capitale est donc de courage, et non pas du *courage* qu'il faut pour soumettre sa vie à une régulation extérieure, préétablie – qui n'est que confortable abdication : l'attitude de Robert, le triste héros du triptyque de *l'École des femmes* (1929-1936) – mais du courage qu'a Évelyne de regarder en face sa multiplicité intérieure, de n'infléchir jamais sa sincérité. Mais l'inconséquence et la division sont certes difficiles à assumer, et Robert, le dévot, l'homme dont *la foi tout court remplace la bonne*, qui a choisi une fois pour toutes la conformité à un système jamais remis en question, Robert en a peur : *Le culte de la sincérité*, écrit-il, *entraîne notre être vers une sorte de pluralité fallacieuse, car dès que nous nous abandonnons aux instincts, c'est pour apprendre que l'âme qui ne se veut soumettre à aucune règle est forcément inconséquente et divisée.*

Plus claire encore que la leçon d'*Œdipe*, plus exemplaire est l'autobiographie désinvolte de Thésée. Elle figure l'aventure de l'Homme : et il est vrai que toute aventure ne peut être que particulière, individuelle, mais Thésée est un *exemple*, car il est l'aventurier qui, tel Icare dont il suivit les conseils, n'a jamais compté que sur lui-même ; il a admis, recherché toutes les invites, toutes les passions, mais ne s'est laissé enchaîner, arrêter par aucune : toujours il a *passé outre*, allant de l'avant pour ne s'attacher qu'à sa route propre. De ses épreuves, la plus dure fut celle du labyrinthe, mais Dédale l'avait prévenu : le difficile n'était pas de sortir du labyrinthe, c'était de *vouloir* en sortir, résister aux vertus assoupissantes de l'encens, ne pas s'installer satisfait dans le temple spécieux et confortable :

... Estimant qu'il n'est pas de geôle, explique-t-il, *qui vaille devant un propos de fuite obstiné, pas de barrière ou de fossé que hardiesse et résolution ne franchissent, je pensai que, pour retenir dans le labyrinthe, le mieux était de faire en sorte, non point tant qu'on ne pût (tâche de me bien comprendre), mais qu'on n'en voulût pas sortir. (...) J'avais remarqué que certaines plantes, lorsqu'on les jette au feu, dégagent en se consumant des fumées semi-narcotiques, qui me parurent ici d'excellent emploi. Elles répondirent exactement à ce que j'attendais d'elles. J'en*

fis donc alimenter des réchauds, qu'on maintient allumés jour
et nuit. Les lourdes vapeurs qui s'en dégagent n'agissent pas
seulement sur la volonté, qu'elles endorment ; elles procurent
une ivresse pleine de charme et prodigue de flatteuses erreurs,
invitent à certaine activité vaine le cerveau qui se laisse voluptueusement emplir de mirages ; activité que je dis vaine, parce
qu'elle n'aboutit à rien que d'imaginaire, à des visions ou des
spéculations sans consistance, sans logique et sans fermeté.
L'opération de ces vapeurs n'est pas la même pour chacun de
ceux qui les respirent, et chacun, d'après l'imbroglio que prépare
alors sa cervelle, se perd, si je puis dire, dans son labyrinthe
particulier.

De même, les amours de Thésée, *concurremment avec les
divers monstres* qu'il dompta, ne lui ont appris qu'à se mieux
connaître ; Ariane, Proserpine, Phèdre, il ne s'arrêta à aucune :
*Pirithoüs avait raison lorsqu'il disait (ah ! que je m'entendais
bien avec lui !) que l'important c'était de ne point se laisser
appoltronner par aucune, ainsi qu'Hercule entre les bras
d'Omphale. Et puisque, de femmes, je n'ai jamais pu ni voulu me
priver, il me répétait à chaque pourchas amoureux : « Vas-y,
mais passe outre. »* Ne pourrait-on d'ailleurs entendre, sous
le regimbement de son Thésée contre l'amour trop prévenant
d'Ariane, comme un écho du sentiment qu'avait eu Gide
de sa pensée entravée par le jugement de Madeleine ? Il
s'agit des pelotons de fil que Dédale lui a remis pour qu'il
pût retrouver l'issue du labyrinthe :

*Ce fut à propos de ces pelotons qu'entre Ariane et moi s'éleva
notre première dispute. Elle voulut que je lui remette, et prétendit
garder en son giron lesdits pelotons que m'avait confiés Dédale,
arguant que c'était affaire aux femmes de les rouler et dérouler,
en quoi elle se disait particulièrement experte, et ne voulant pas
m'en laisser le soin ; mais, en vérité, désirant ainsi demeurer
maîtresse de ma destinée, ce que je ne consentais à aucun prix.
Je me doutais aussi que, ne les déroulant qu'à contre-gré pour
me permettre de m'éloigner d'elle et retenant le fil ou le tirant
à elle, je serais empêché d'aller de l'avant tout mon soûl.*

De toutes ces épreuves, Thésée est sorti victorieux, sachant
qu'il se construisait, que sa valeur était dans ses seuls actes,

C'est consentant que j'approche la mort solitaire...

et que ses actes, *lors de la suprême pesée*, seraient jugés en eux-mêmes et non point en référence à un système prétendu transcendant. Thésée est celui qui toujours s'est refusé aux *bonnes raisons*, à ce que Sartre appela la *mauvaise foi* ; « faire, et, en faisant, se faire », la formule de Lequier reprise par les existentialistes, en son sens plein, était déjà proprement gidienne, et *Thésée* l'illustrait. Au demeurant, s'il fallait chercher à Gide des héritiers ou des neveux, il n'est pas douteux que le grand courant de la philosophie de l'existence, auquel se « ressourça » la littérature française dès la veille de la guerre de 1939-45, trouvait en lui son plus généreux précurseur. Lui-même ne doutait pas qu'on dût reconnaître un jour cette paternité : *Il arrivera peut-être, plus tard*, écrivait-il à l'époque de *Thésée*, *que tel lecteur attentif ressorte telle phrase de moi, qui passa d'abord inaperçue, et que, devant le raffut que l'on fait aujourd'hui (dont Sartre n'est pas uniquement responsable) à propos de certaines déclarations et manifestations « existentialistes »*, il s'étonne et proteste : *« mais Gide l'avait dit avant lui... »*

Message suprême, mais aussi chef-d'œuvre du *récit* ironique – Gide y atteint une élégance et une alacrité de style qui font de ce dernier ouvrage un des maîtres-livres de la prose française – *Thésée* l'emporte sur *Œdipe* par le poids de la création qu'il achève et résume. Parvenu au terme, le libérateur des *Nourritures* a renoué avec Prométhée, il s'est *manifesté,* il a parfait le sens de son destin. Ayant écouté Dédale :

Ne t'attarde pas au labyrinthe, ni dans les bras d'Ariane, après l'affreux combat dont tu sortiras vainqueur. Passe outre. Considère comme trahison la paresse. Sache ne chercher de repos que, ton destin parfait, dans la mort. C'est seulement ainsi que, par-delà la mort apparente, tu vivras inépuisablement recréé par la reconnaissance des hommes. Passe outre, va de l'avant, poursuis ta route, vaillant rassembleur de cités.

Il peut exprimer sa satisfaction :

Si je compare à celui d'Œdipe mon destin, je suis content : je l'ai rempli. Derrière moi, je laisse la cité d'Athènes. Plus encore que ma femme et mon fils, je l'ai chérie. J'ai fait ma ville. Après moi, saura l'habiter immortellement ma pensée. C'est consentant que j'approche la mort solitaire. J'ai goûté des biens de la terre. Il m'est doux de penser qu'après moi, grâce à moi, les hommes se reconnaîtront plus heureux, meilleurs et plus libres. Pour le bien de l'humanité future, j'ai fait mon œuvre. J'ai vécu.

Les dernières années furent sereines, calme attente de l'issue. *Il me paraît tout naturel de vieillir et je ne m'en sens pas plus honteux que je ne le serai de disparaître...* La mort de Madeleine, le dimanche de Pâques 1938, qui le peine au plus intime, n'entame cependant pas plus sa confiance dans le chemin qu'il suit, son *amor fati*, que le sentiment qu'il a de sa prochaine fin. Bien révélateur du caractère gidien est ce mois de février 1939 où, en Égypte, il écrit tout ensemble les pages bouleversantes d'*Et nunc manet in te* et le récit sans vergogne de ses *pourchas amoureux* dans ses *Carnets d'Égypte* –

récit bien nécessaire à la figure de qui écrira : *Je veux descendre dans la tombe, le corps encore chaud de volupté*... Au regard du monde, d'ailleurs, Gide pourra penser qu'il a gagné son procès en révision de la morale lorsque, après la guerre, le Destin semblera lui avoir réservé un sursis pour que sur sa tête s'accumulent les honneurs : Oxford, le Nobel, les *Entretiens* radiophoniques avec Jean Amrouche, l'hommage du Tout-Paris à l'occasion des *Caves*... Lui n'a rien renié ; on l'a accepté. Les familiers sont légion, qui n'attendirent guère pour décrire le grand homme en pantoufles, furetant dans le beau désordre du « Vaneau », perpétuellement en quête d'un châle, d'un chandail, de ses mitaines ou de l'un de ses chapeaux inouïs et bosselés, entrés dans la légende... Vint la mort, dans l'étroit lit de fer de la chambre petite et austère, avec, à portée de la main encore, Virgile, dans la vieille édition scolaire Hachette qui ne le quittait plus, qu'il lisait en marchant, s'arrêtant parfois, dans une rue obscure, sous un réverbère, pour déchiffrer quelque vers... Par ses grands et ses petits côtés, pour les lettrés et pour *Paris-Match*, c'était bien la Gloire. Conforme à toute sa pièce, Gide réussissait sa sortie de scène.

« Il a tout eu pour lui : les fées de l'esprit penchées sur son berceau ; une fortune qui l'a libéré des soucis matériels ; une santé fragile mais sûre, qui le mettait à l'abri des événements en lui autorisant les retraites soudaines comme les longs voyages ; des amitiés émerveillées ; tous les honneurs, si bien qu'entre eux il pouvait faire son choix ; et finalement cette mort sereine qu'il annonçait en se jouant depuis trente ans, venue à point, après un léger déclin de ses facultés créatrices qu'il commentait finement, mais avant l'obscurcissement, le bégaiement ou le silence pénible. Ces privilèges sont d'un exercice difficile ; la manière dont il en usa est assez belle pour qu'aujourd'hui on admire cette vie, cette mort : elles semblent une réussite si pleine que M. Massis doit aujourd'hui douter qu'il existe une justice divine tout occupée à rendre ignominieuse la fin du pécheur scandaleux. » (Bertrand d'Astorg.)

... Et je reviens à Virgile, qui ne m'offre plus précisément de surprise, mais du moins un constant ravissement. (*Ainsi soit-il*

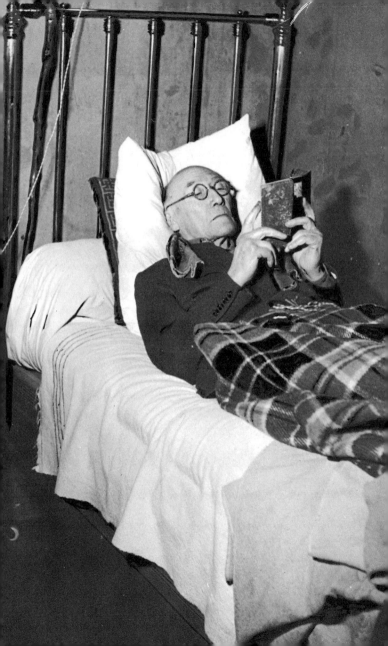

nactuel André Gide... Il connaît encore le purgatoire qui n'épargne aucune gloire. Faut-il s'étonner que, de l'enquête menée en décembre 1960 par un hebdomadaire : « Dix ans après, que reste-t-il de Gide ? », il soit sorti de la bouche des jeunes écrivains interrogés, non pas même des sarcasmes, mais quelques phrases condescendantes et désabusées ? Sans doute même n'est-il pas encore temps de plaider sa cause ; il était hier le maître avoué de Sartre, de Camus, il fut le maître de trois générations ; il n'est plus celui de la nôtre.

Dernier représentant du classicisme qu'il sut avec tant de finesse définir que ses formules, ayant fait fortune, aujourd'hui ne lui appartiennent plus, – attaché aux règles d'un bien-dire qui n'a plus cours au temps du « degré zéro de l'écriture », – aux yeux des jeunes esprits de 1963 Gide apparaît surtout, c'est peu contestable, comme un grand *mainteneur*. Sort cruellement paradoxal de celui à qui pourtant l'évolution du style et des techniques doit tant, et qui fut, il y a quelque cinquante ans, à l'avant-garde d'une révolution des formes littéraires... De même, il semble aujourd'hui messéant de

A la fenêtre de Cuverville : Littré et la campagne normande.

s'intéresser à l'œuvre d'un grand bourgeois individualiste qui n'eut qu'à meubler ses loisirs ; lui-même se rendait-il compte combien, en 1950, il était *démodé* d'écrire, dans son posthume *Ainsi soit-il : Les rapports de l'homme avec Dieu m'ont de tout temps paru beaucoup plus importants et intéressants que les rapports des hommes entre eux. Il était du reste assez naturel que, né dans une situation aisée, je n'aie pas eu à me préoccuper beaucoup de ceux-ci. Si mes parents avaient eu à gagner péniblement leur vie, il n'en eût sans doute pas été de même. Mon hérédité, puis ma formation protestante inclinaient mon esprit presque exclusivement vers les problèmes moraux...* Pour un temps, on ne daigne plus voir que, tout conservateur qu'il était sur le plan strictement social, Gide a passé sa vie à saper, par l'expression et l'approfondissement de sa pensée, les fondements de la société dans laquelle il était inséré. Certes, il n'avait pas le sens communautaire ainsi que l'entendent le marxisme ou les divers courants personnalistes de ce temps ; ce qui le portait vers la communion avec les autres était tout psychologique et affectif. Sa quête du bonheur, son besoin de volupté, impérieux jusqu'aux derniers jours de sa vie, nous peuvent sembler trop insoucieux du tragique de l'époque... L'illustre vieillard des années ultimes, au visage de vieille Chinoise impénétrable, était déjà d'un autre âge, aussi lointain que le poète chevelu et moustachu d'*André Walter...*

Quelle leçon peut donc encore nous venir de Cuverville, de cette tombe qui fut, en 1953, rapprochée de celle de Madeleine, comme pour en souligner le mutisme ambigu, – blanche et nette à côté de l'autre, où il avait fait graver deux versets de l'Évangile ? S'il fallait en une formule résumer, synthétiser cette œuvre, en abstraire une doctrine... – mais non, précisément : Gide, et c'est en quoi sa pensée demeure étonnamment et passionnément moderne, actuelle, quoique intempestive toujours, Gide, c'est un devenir, un itinéraire, une conscience en mouvement, en genèse illimitée : une conscience qui *existe. Je n'apporte pas de doctrine*, écrivit-il peu de jours avant sa mort ; *je me refuse à donner des conseils et, dans une discussion, je bats en retraite aussitôt. Mais je sais qu'aujourd'hui certains cherchent en tâtonnant et ne savent plus*

Avec Sartre (pendant le tournage, par Marc Allégret, d'Avec André Gide)

à qui se fier ; à ceux-là je viens dire : croyez ceux qui cherchent la vérité, doutez de ceux qui la trouvent ; doutez de tout, mais ne doutez pas de vous-même. Ce que Gide nous offre, c'est une méthode, et l'exemple lumineux et fervent de cette métho-de en action. Dans le bel hommage que Sartre, à la mort de Gide, tint à lui rendre, il lui fit justement gloire d'avoir « vécu ses idées » : « Toute vérité, dit Hegel, est devenue... » Gide est un exemple irremplaçable parce qu'il a choisi de *devenir sa vérité...* A partir de là des hommes d'aujourd'hui peuvent devenir des vérités nouvelles. Aussi bien toute étude de l'œuvre ne peut-elle être qu'une étude de l'homme et non point construction systématique, mais obéissance sympathique à tous les méandres de son itinéraire, connais-sance évolutive d'*André Gide par lui-même...*

Sa vérité, c'est donc son histoire, sa fidèle recherche. Elle était inépuisable comme la vie, et comme elle sans conclusion. En un sens, et sans qu'on préjuge ainsi d'aucune attitude à l'endroit de cette œuvre, il faut dire qu'on ne peut, sans malhonnêteté, *classer* le « dossier Gide ». On peut tenir ses expériences successives pour autant d'erreurs, juger dérisoire cette *réduction* du problème religieux à celui de la *moralité privée*, on ne peut considérer comme nulle et non avenue sa fonction d'éveilleur, d'inquiéteur. On ne peut pas davantage l'enrôler dans aucune faction, car il n'a milité que pour lui, contre tous les partis. De sa mort même il évita de faire une fin, une conclusion ; lui que préoccupèrent si longtemps les interrogations du spirituel, il avait dans ses dernière années multiplié les affirmations monistes, matérialistes, athées : que voulut-il donc dire lorsqu'au seuil de sa brève agonie, le dimanche 18 février 1951, le docteur Delay l'entendit murmurer ses dernières paroles : *C'est toujours la lutte entre ce qui est raisonnable et ce qui ne l'est pas ?...* Mauriac, encore qu'avec prudence, y voulut voir « le signe vainement cherché jusque-là » d'une persistante inquiétude religieuse ; mais... *les croyants sont habiles à interpréter mystiquement les balbutiements d'un mourant*, semblait lui avoir répondu Gide par avance, dans son *Introduction* de 1942 au Théâtre de Goethe, où il commentait avec humour les commentaires nombreux qu'avait soufferts le *Mehr Licht* final du grand Olympien... Et Martin du Gard, tout aussitôt scandalisé par ce qu'il tenait pour la naissance d'une « pieuse légende », crut pouvoir interdire qu'on accordât le moindre sens religieux à ces *novissima verba :* assurance surprenante de la part d'un homme qui prétendait ainsi défendre celui qui s'était donné pour règle de ne s'enfermer jamais dans une affirmation, mais de lutter toujours contre les esprits trop sûrs de leur vérité, « confisqués » par leur assurance même. Entre Mauriac et Martin du Gard, écrivit avec bonheur Robert Mallet dans *Une mort ambiguë*, « c'était le croyant qui disait : *peut-être* et l'incroyant : *sûrement*. Le ton de Martin du Gard me paraissait être celui d'un homme qui, pour éviter qu'un de ses amis fût cloîtré, n'hésitait pas à le séquestrer de son côté. »

Avatar de l'humanisme, l'œuvre d'André Gide, *jusque dans ses failles*, reste pantelante d'une irrécusable vie. Profondément traditionnelle et radicalement révolutionnaire, elle témoigne d'une conscience probe et courageuse de la grandeur immanente de l'homme. Si doivent jamais advenir quelques amoindrissements de la liberté, on ne pourra pas ne pas se souvenir – ingratement ou non, mais Gide s'en fût-il vraiment soucié ? – de cet exemple, dût-on quitter ensuite la ligne de crête où sa gloire fut de se maintenir, pour choisir et s'engager, c'est-à-dire, pour un temps, le renier...

Fragment du manuscrit des Nouvelles Nourritures

CHRONOLOGIE

1867   Jeudi 7 février, naissance à Rouen de Madeleine Rondeaux, fille aînée d'Émile Rondeaux (frère aîné de Juliette, la mère d'A. G.) et de Mathilde Pochet.

1869   Lundi 22 novembre, naissance d'André Paul Guillaume Gide (à Paris, 19 rue de Médicis où ses parents s'étaient installés à leur mariage en 1863), fils de Paul Gide (né à Uzès en 1832), professeur agrégé de Droit à la Faculté de Paris, et de Juliette Rondeaux (née à Rouen en 1835). André sera le seul enfant des Paul Gide.

1877   A. G. entre en 9e à l'École Alsacienne, rue d'Assas. Son instituteur, M. Vedel, ayant surpris ses « mauvaises habitudes », il est renvoyé pour quelques mois de l'école. Rougeole, puis convalescence à La Roque[1]. Sa santé restera toujours précaire, sa fréquentation scolaire, fort irrégulière.

1880   28 octobre, mort de Paul Gide. Crises d'angoisse.

1881   A. G. et sa mère à Montpellier. Crises nerveuses.

1882   Fin décembre, A. G. a la révélation de l'inconduite de sa tante Mathilde et de la souffrance de sa cousine Madeleine.

1883   Demi-pensionnaire à Passy, chez M. Henry Bauer *(M. Richard dans Si le grain ne meurt)* qui lui fait lire Amiel : A. G. commence à tenir un Journal.

1. La Roque-Baignard : domaine qu'avait acquis en 1851 Édouard Rondeaux (1789-1860), le grand-père d'A. G., ces 425 ha dans le Calvados (à 14 km au nord-ouest de Lisieux) furent estimés 420 000 francs en 1860 ; G. vendit le château en 1900 et le reste du domaine en 1909. C'est *la Morinière* de *l'Immoraliste* ; à proximité se trouvaient le Val-Richer des Guizot qui appartint ensuite aux parents de Jean Schlumberger (le *Blancmesnil* de *Si le grain ne meurt*) et le Formentin de M. Floquet (la *Quartfourche* d'*Isabelle*).

▲   *Gide et Jean Amrouche au cours des* Entretiens *radiophoniques*

1885	Été à La Roque : ferventes lectures mystiques avec son ami François de Witt-Guizot *(Lionel* dans *Si le grain)* et avec sa cousine Madeleine. C'est l'époque ardente de sa Première Communion.
1887-88	En rhétorique à l'École Alsacienne : rencontre de Pierre Louÿs. Découverte de Gœthe.
1888-89	Année de philosophie (au lycée Henri-IV, puis seul). Lit Schopenhauer. Été 1889 : voyage en Bretagne. Hiver, lecture d'*Un Homme libre* de Barrès.
1890	1er mars : mort d'Émile Rondeaux, qu'A. G. et Madeleine veillent ensemble. Juin : G. se retire à Menthon-Saint-Bernard pour écrire « le livre ». Décembre : rencontre à Montpellier de Paul Valéry.
1891	*Les Cahiers d'André Walter.* Rencontre Barrès, puis Mallarmé. En décembre, Wilde. *Le Traité du Narcisse.*
1892	*Les Poésies d'André Walter.* 15-22 novembre, service militaire à Nancy (réformé pour tuberculose).
1893	Rencontre de Jammes. *Le Voyage d'Urien. La Tentative amoureuse.* Octobre 1893 - printemps 1894 : voyage en Afrique du Nord.
1895	*Paludes.* 31 mai, mort de Mme Paul Gide ; 17 juin, fiançailles d'A. G. avec sa cousine ; 7-8 octobre, mariage (mairie de Cuverville, temple d'Étretat). Octobre 95-mai 96 : voyage de noces (Suisse, Italie, Afrique du Nord). Mai 1896 : à son retour à La Roque, A. G. apprend qu'il en a été élu maire (le plus jeune maire de France). Rupture avec Louÿs.
1897	*Les Nourritures terrestres.* Se lie avec le docteur Vangeon (Henri Ghéon).
1899	*Le Prométhée mal enchaîné, Philoctète, El Hadj, Feuilles de route.* Début de la correspondance avec Claudel (alors consul à Fou-Tchéou), qu'il a rencontré en 1895 chez Marcel Schwob.
1901	*Le Roi Candaule.*
1902	*L'immoraliste.*
1904	*Saül, Prétextes, Oscar Wilde.*
1906	*Amyntas.*
1907	*Le Retour de l'enfant prodigue.*
1908	*Dostoïevsky d'après sa correspondance.* Fondation de la *Nouvelle Revue Française* (avec Copeau, Schlumberger, Ghéon ; plus tard, Jacques Rivière).
1909	*La Porte étroite.*
1910	Première des « Décades de Pontigny » (fondées par Paul Desjardins), auxquelles le groupe de la *N. R. F.* restera très fidèle.
1911	*Isabelle* (à la maison d'édition de la *N. R. F.*), *Nouveaux Prétextes* (au Mercure de France).
1913	Traduction du *Gitanjali* de Tagore. Octobre, ouverture du Vieux-Colombier, « annexe » théâtrale de la *N. R. F.* que dirige Jacques Copeau. Novembre : G. fait la connaissance du jeune auteur de *Jean Barois*, Roger Martin du Gard.
1914	*Les Caves du Vatican.* Rupture pratiquement définitive avec Claudel. Voyage en Turquie avec Ghéon. *Souvenirs de la cour d'assises.* Avec Charles Du Bos et Mme Théo Van Rysselberghe (femme du peintre belge que Henri de Régnier une quinzaine d'années plus tôt, lui a fait rencontrer), G. travaille quotidiennement au Foyer franco-belge (œuvre d'aide aux réfugiés des territoires français et belges envahis par les Allemands).
1915-16	G. traverse une crise religieuse.
1917-18	Avec Marc Allégret, séjours en Suisse (août 1917), en Angleterre (été 1918) : le 21 novembre 1918, à Cuverville,[1] il apprend de Madeleine que, sitôt après son

1. Le château de Cuverville, près de Criquetot-l'Esneval en Seine-Maritime, était la maison des Émile Rondeaux, *Fongueusemare* de *la Porte étroite* .

départ pour l'Angleterre avec Marc, elle a détruit toutes les lettres qu'il lui avait écrites depuis leur jeunesse. Longs mois d'abattement.

1919   *La Symphonie pastorale.*

1921   *Morceaux choisis.* Attaques de Massis.

1922   *Numquid et tu...* ? Traduction du *Mariage du Ciel et de l'Enfer* de Blake.

1923   Avril : naissance de Catherine, fille d'Élisabeth Van Rysselberghe et d'A. G.

1924   *Incidences.* Édition courante de *Corydon.*

1925-26   Voyage au Congo (juillet 25-mai 26). *Les Faux-Monnayeurs, Journal des Faux-Monnayeurs,* édition courante de *Si le grain ne meurt.*

1927   *Voyage au Congo.* Gide, qui a vendu avant son départ pour le Congo une grande partie de sa bibliothèque et sa villa d'Auteuil, s'installe 1 bis rue Vaneau ; il est le voisin de palier de Mme Théo Van Rysselberghe, « la Petite Dame ».

1928   *Le Retour du Tchad.*

1929   Charles Du Bos publie son *Dialogue avec André Gide. L'École des femmes.*

1930   *Robert, la Séquestrée de Poitiers, l'Affaire Redureau, Œdipe.* Voyages incessants.

1932   La *N. R. F.* commence la publication des *Œuvres complètes d'A. G.* qu'interrompra la guerre en 1939, au tome xv. A. G. proclame sa sympathie grandissante pour le Communisme et l'Union soviétique.

1933   Les *Caves* paraissent en feuilleton dans *l'Humanité.* Activité politique de G.

1935   *Les Nouvelles Nourritures.* En juin, G. préside avec Malraux le 1er Congrès international des écrivains pour la défense de la culture.

1936   *Geneviève.* 17 juin-22 août : voyage en U. R. S. S. Novembre : *Retour de l'U. R. S. S.* En juin 1937, la parution des *Retouches à mon retour de l'U. R. S. S.* consacre la rupture d'A. G. avec le communisme.

1938   Voyage en A. O. F., 17 avril (Pâques) : mort de Madeleine. G. écrit *Et nunc manet in te.*

1939   Voyages en Grèce, en Égypte et au Sénégal. G. publie son *Journal 1889-1939.* A l'armistice, après quelques hésitations, il condamne le nouveau régime et se retire de la *N. R. F.* collaborationniste de Drieu La Rochelle.

1942-45   Tunis, puis Alger. *Pages de Journal 1939-1942. Interviews imaginaires.* Voyage au Liban et en Égypte (déc. 45-août 46).

1946   *Thésée.* Jean Delannoy tourne *la Symphonie pastorale.*

1947   Juin : G. docteur *honoris causa* d'Oxford. Novembre : Prix Nobel de littérature.

1948   *Correspondance avec Francis Jammes. Les Caves du Vatican* (farce tirée de la sotie).

1949-50   *Feuillets d'automne, Correspondance avec Paul Claudel, Littérature engagée* (réunion de textes de 1930-37), *Anthologie de la poésie française, Journal 1942-1949.* Nicole Védrès tourne *La vie commence demain* (avec Gide, Le Corbusier, Sartre, Jean Rostand...) et Marc Allégret, *Avec André Gide.* 13 décembre 1950 : première *Caves* au Français.

1951   Lundi 19 février, A. G. meurt à Paris, 1 bis rue Vaneau, d'une congestion pulmonaire. La dernière phrase qu'il ait écrite : *Ma propre position dans le ciel, par rapport au soleil, ne doit pas me faire trouver l'aurore moins belle.* Ses dernières paroles : *J'ai peur que mes phrases ne deviennent grammaticalement incorrectes - C'est toujours la lutte entre le raisonnable et ce qui ne l'est pas...* Au scandale de plusieurs, dont Martin du Gard, un pasteur bénit l'inhumation au cimetière de Cuverville (22 février). Peu après la mort d'A. G. paraît l'édition courante d'*Et Nunc Manet In Te.* Novembre, l'*Hommage à A. G.* de la *N. R. F.* ressuscitée (il lui avait été interdit de reparaître à la Libération).

1952   *Ainsi soit-il* ou *Les jeux sont faits.* 24 mai : un décret de la *Suprema Sacra Congregatio Sancti officii* inscrit *Andreae Gide opera omnia* dans l'*Index librorum prohibitorum.*

1955   Publication de la *Correspondance A. G. - Paul Valéry.*

BIBLIOGRAPHIE SOMMAIRE

Instruments bibliographiques

La *Bibliographie des écrits de A. G.* par Arnold Naville, mise à jour jusqu'en 1952 par Jacques Naville (Guy Le Prat, éd.), est exhaustive pour les textes d'A. G. ; elle est sommaire en sa troisième partie : « Documentation sur l'œuvre ».

A ce jour, la bibliographie la plus complète des ouvrages et articles sur A. G. est celle qu'a établie Pierre Lafille pour sa thèse de doctorat d'État : *Essai d'une bibliographie sur la vie et l'œuvre d'A. G. et sur A. G. romancier (1890-1953)*, in *A. G. romancier*.

Œuvres d'André Gide

L'éd. des *Œuvres complètes* (15 vol. N. R. F., Paris, 1932-39), s'arrêtant à 1929, est loin d'être complète, et le texte du *Journal*, notamment, y est mutilé ; mais elle offre des textes qui n'ont été repris nulle part ailleurs. Voir l'*Index détaillé des 15 volumes de l'éd. Gallimard des Œuvres complètes d'A. G.* par le Prof. Justin O'Brien et ses étudiants (Prétexte éd., Asnières, 1954).

Le *Théâtre complet* (8 vol., Ides et Calendes) recueille les pièces de G. et celles qu'il a traduites de Tagore, Shakespeare, Kafka.

Ouvrages critiques sur l'homme et l'œuvre

Quelques-uns des ouvrages les plus récents :
Paul Archambault : *Humanité d'A. G.* (Bloud et Gay, 1946).
Jean Hytier : *A. G.* (Charlot, 1946).
Yvonne Davet : *Autour des Nourritures terrestres. Histoire d'un livre* (N. R. F., 1948).
Henri Massis : *D'A. G. à Marcel Proust* (Larchandet, 1948).
Renée Lang : *A. G. et la pensée allemande* (L. U. F., 1949).
René-Marill Albérès : *l'Odyssée d'A. G.* (la Nouvelle Édition, 1951).
Roger Martin du Gard : *Notes sur A. G.*, 1913-1951 (N. R. F., 1951).
Pierre Herbart : *A la recherche d'A. G.* (N. R. F., 1952).
Léon Pierre-Quint : *A. G.* (Stock, 1952).
Henri Rambaud (et François Derais) : *l'Envers du Journal de G. et les Secrets de sa sincérité* (Le Nouveau Portique, éd. augm., 1952).
Germaine Brée : *A. G. l'insaisissable Protée* (Les Belles-Lettres, 1953).
Justin O'Brien : *Portrait of A. G.* (Secker et Warburg, Londres 1953).
Pierre Lafille : *A. G. romancier* (Hachette, 1954).
Jacques Lévy : *Étude sur les Faux-Monnayeurs et l'expérience religieuse*, in *Journal et correspondance* (Éd. des Cahiers de l'Alpe, Grenoble, 1954).
Robert Mallet : *Une mort ambiguë* (N. R. F., 1955).
Jean Schlumberger : *Madeleine et A. G.* (N. R. F., 1956).
Jean Delay : *la Jeunesse d'A. G.* (2 vol. N. R. F., 1956-57).
Jean-Jacques Thierry : *G.* (N. R. F. « la Bibliothèque idéale », 1962).
Catharine H. Savage : *A. G., l'évolution de sa pensée religieuse* (Nizet, Paris, 1962).
Hommage à A. G. (no spécial de la N. R. F., novembre 1951).
La vie d'A. G. (album photographique de Cl. Mahias et P. Herbart, N. R. F., 1955).

Disques

André Gide vous parle - (Festival, « Leur œuvre et leur voix », 25 cm FLD 4M).
Œdipe - (extraits) Musique de Maurice Jarre (Véga, coll. T. N. P., 17 cm).
Perséphone - (intégral) Musique d'Igor Stravinsky.
Le Retour de l'enfant prodigue - (intégral) Musique de Darius Milhaud.

Ainsi soit-il ou *Les jeux sont faits* - N. R. F, 5,50 F ; rel., 14 F.
Amyntas - N. R. F., 5,50 F.
Anthologie de la poésie française - « La Pléiade », N. R. F., rel., 30 F.
Les Cahiers et les Poésies d'André Walter - N. R. F., 6 F ; rel., 13,50 F.
Les Caves du Vatican - Sotie, N. R. F., 8 F. Coll. « Le livre de poche », 2 F. Farce tirée de la Sotie, N. R. F., 6,50 F ; rel., 11 F.
Correspondance avec Ch. Du Bos - Corrêa, 3,45 F. *Corr. avec Francis Jammes*- (1893-1938) - Préface de R. Mallet, N. R. F., 12 F. *Corr. avec Rilke* - Présentation de R. Lang, Corrêa, 7,20 F. *Corr. avec P. Valéry* (1890-1942) - Préface de R. Mallet, N. R. F., 15 F; sur vélin, rel., 26 F. *Corr. avec Marcel Jouhandeau* - M. Sautier, 25 F. *Corr. avec Edmund Gosse* - Introd. by L. F. Brugmans, New York Univ. Press, 29,25 F.
Corydon - N. R. F., 6,50 F.
Dostoïevsky - Plon, 7,50 F.
L'École des femmes, Robert, Geneviève - N. R. F., 7 F ; coll. « Livre de poche », 2 F.
Les Faux-Monnayeurs - N. R. F., 14 F ; sur alfa, rel., 18 F.
Feuillets d'automne - Mercure de France, 9 F.
L'Immoraliste - Mercure de France, 9 F. Coll. « Livre de poche », 2 F.
L'Immoraliste, la Porte étroite - Club des libraires de France, rel., 21 F.
Incidences - N. R. F., 6 F.
Interviews imaginaires - N. R. F., 6 F.
Isabelle - N. R. F., 4,50 F ; sur alfa rel., 9 F. Coll. « Livre de poche », 2 F. « Pourpre », 2.30 F
Journal (1889-1939) - « La Pléiade », N. R. F., 37 F. *Journal* (1939-1949) *Souvenirs* - « La Pléiade », N. R. F., 36 F. *Journal* (1939-1942) - N. R. F., 6 F. *Journal* (1942-1949) - N. R. F. 9 F.
Journal des Faux-Monnayeurs - N. R. F., 3,50 F.
Lettres à un sculpteur - M. Sautier, 18,50 F.
Littérature engagée - N. R. F., 9,50 F ; rel., sur vélin, 11,50 F.
Notes sur Chopin - L'Arche, 4,50 F.
Les Nourritures terrestres et *les Nouvelles Nourritures* - N. R. F., 9,50 F., rel., 13,50 F. coll. « Soleil », rel. 17 F.
Nouveaux Prétextes - Mercure de France, 7,50 F.
Oscar Wilde - Mercure de France, 4,50 F.
Pages choisies - « Classiques Vaubourdolle », notes par P. Lafitte, 1 F.
Paludes - N. R. F., 5 F.
Poésie, Journal, Souvenirs - Ill. Dunoyer de Segonzac, rel., 2 vol., 104 F.
La Porte étroite - Mercure de France, br., 7.80 F ; rel., 13,50 F. « Livre de poche », 2 F.
Prétextes - Mercure de France (en réimpression).
Le Procès - Pièce tirée du roman de Kafka, N. R. F., 6 F.
Le Prométhée mal enchaîné - N. R. F., 4,50 F ; sur alfa, rel., 10 F.
Retour de l'U. R. S. S., suivi de *Retouches à mon retour de l'U. R. S. S.* - N. R. F., 6,50 F.
Le Retour de l'enfant prodigue, précédé de cinq autres traités, *le Traité du Narcisse, la Tentative amoureuse, El Hadj, Philoctète, Bethsabé* - N. R. F., 6,50 F.
Le Retour du Tchad - N. R. F., 6,50 F.
Romans, Récits et soties, Œuvres lyriques - « La Pléiade », N. R. F., 41 F.
La Séquestrée de Poitiers - N. R. F., 4 F.
Si le grain ne meurt - N. R. F., 9,50 F.
Souvenirs de la cour d'assises - N. R. F., 3,50 F.
La Symphonie pastorale - N. R. F., 4,50 F. Coll. « Livre de poche », 2 F.
Théâtre : *Saül, le Roi Candaule, Œdipe Perséphone, le Treizième Arbre,* - N. R. F., 9,50 F.
Thésée - Gallimard, 3 F.
Voyage au Congo - N. R. F., 6,50 F.
Le Voyage d'Urien - N. R. F., 4,50 F.

ILLUSTRATIONS

Catherine Gide : pp. 4, 11a, 11b, 27, 47, 55, 88, 134, 143, 168, 170. - Dominique Drouin : pp. 42, 52, 53, 107, 114. - Marc Allégret : pp. 18, 23, 61, 72, 113, 117, 133, 150, 159, 160, 163, 164, 183. - Fonds Gide, Bibliothèque littéraire Jacques Doucet, pp. 2, 5, 30, 31, 48, 77, 81, 82, 91, 111, 121, 122, 126, 161, 167, 169, 181, 185. - Gisèle Freund : p. 173. - Dominique Darbois : pp. 176, 179, 186, 189. - Bibliothèque Nationale (Éditions du Seuil) : pp. 66, 69, 75, 100, 109, 110 - Boudot-Lamotte : pp. 28, 76. - Pierre Jahan : pp. 37, 180, pp. 2 et 3 cv. - André Gauthier : p. 49. - Musée de Rouen : p. 85. - Lipnitzki : pp. 127, 128. Travaux photographiques : *Publicité R. Bardet et F. Duffort*.

Les lettrines des débuts de chapitres sont extraites des *Nourritures terrestres* illustrées par Marchand.

L'auteur et les éditeurs tiennent à remercier tout particulièrement Jean Schlumberger, Catherine Gide, Dominique Drouin, Marc Allégret et Jacques Naville qui ont permis la réalisation de ce livre. Ils tiennent également à manifester leur reconnaissance au directeur de la Bibliothèque Doucet, le professeur Georges Blin, et à son bibliothécaire, François Chapon.

TABLE

CE LIVRE, LE SOIXANTE-DEUXIÈME DE LA COLLECTION « ÉCRIVAINS DE TOUJOURS » DIRIGÉE PAR MONIQUE NATHAN, A ÉTÉ RÉALISÉ PAR MATHILDE RIEUSSEC.

ACHEVÉ D'IMPRIMER EN 1963 PAR IMP. TARDY
D. L. 1er T. 63 N° 1410.2 - (3789)